ROMANZI E RACCONTI

Della stessa autrice
nei «Romanzi e racconti»
Non riattaccare

nelle «Farfalle»
Ondate di calore
Macchie rosse

nei «Tascabili»
Cardiofitness

Alessandra Montrucchio
Fuoco, vento, alcol

Marsilio

© 2006 by Marsilio Editori® s.p.a. in Venezia

Prima edizione: agosto 2006

ISBN 88-317-9008

www.marsilioeditori.it

Realizzazione editoriale: Silvia Voltolina

A Cristina, Elena, Monique, Alessandra, Yaya,
e ai miei genitori.
Loro sanno perché

FUOCO

Trilogia dell'amore letterario

Fiore di lago

Ombra di fiore oggi, ombra di fiore per sempre. Suo padre gliel'aveva detto con un sorriso da filibustiere che l'aveva irritata, un sorriso non è una risposta, non a una domanda precisa, e lei gli aveva dato sdegnosamente le spalle. Ombretta sdegnosa del Mississipì, non far la ritrosa e baciami qui. Si era rigirata verso il Filibustiere. Ombretta muore annegata! Tu non me l'avevi detto che ho il nome di un'annegata! Il sorriso era scomparso e il Filibustiere si era alzato, aveva pescato nella libreria il romanzo di Fogazzaro e gliene aveva letto un passo. Allora Ombretta in realtà si chiamava Maria? Eh sì. Allora io non mi chiamo come un'annegata? Eh no. Allora perché mi chiamo Ombretta? Perché sei un fiore, un fiorellino di campo che fa ombra agli gnomi. Cioè Ombretta piccola ombra. Esatto. Ombra di fiore oggi, ombra di fiore per sempre. E l'aveva presa in braccio per continuare la lettura di Fogazzaro.

Adesso la primavera ha soffocato di fiori i prati, perfino quelli stenti intorno al carcere, perfino il relitto di terreno che la finestra di Ombretta incornicia. Fiori gialli dell'anno scorso, fiori gialli dell'anno in corso, morti e rinati, vissuti e persi.

«Mi ha fatto chiamare, direttrice?» Ombretta sa che il suo vice sta arrossendo prima ancora di guardarlo. «Mi scusi, lo so che devo chiamarla direttore, ma...»

«Si accomodi, Fazio.»

Il vice entra, chiude la porta, si siede di fronte alla scrivania. Una formica rapida e silenziosa, una formica operaia, la prima che muore se calpestano il formicaio. Ombretta si strappa dalla finestra.

«Fazio, oggi devo andare via. Devo andare al lago a trovare mia madre.»

«Sta male?»

La scrivania. La burocrazia delle carte, gli oggetti per sbrigarla – biro, timbri, la cucitrice. Il telefono, il computer, l'orologio che resta sempre indietro, cambio di pila dopo cambio di pila.

«Spero non più del solito, ma devo andare a trovarla.»

Il legno consunto della traversa su cui posa i piedi, e il cassetto in cui sono chiuse a chiave la foto di Sandro e la cipolla del Filibustiere. Vecchiumi che puzzano di nostalgia.

«Capisco. Quindi...»

«... quindi lei mi sostituisce, sì. E si ricordi che lo spettacolo teatrale è stato spostato alle sette.»

«Non era alle sei emmezza?»

«Appunto. Le ho appena detto che è stato spostato.»

Fazio arrossisce ancora, la sabbia caduta nel formicaio l'ha rovesciato zampe all'aria.

«Il vicesindaco e l'assessore dovrebbero arrivare sulle sei emmezza, ma naturalmente non si faranno vedere prima delle sette e un quarto. Lei tenga a bada i parenti finché non arrivano, d'accordo?, e veda di far capire a tutti che siamo in un carcere. Anche se permettiamo ai detenuti di giocare agli attori *non* siamo al Covent Garden, va bene?»

«Benissimo. Senta, ci saranno dei giornalisti?»

«Purtroppo sì. Le ho fatto qui l'elenco.»

Fazio legge rapidamente il foglio che Ombretta gli ha dato.

«Oh, il dottor Carli è tornato da Genova?»

«Evidentemente. Ah, credo che questa Moleskine sia sua. Gliela restituisca.»

L'agendina nera bordata di rosso che passa nelle zampette di Fazio. Ombretta si infila l'impermeabile – odora di muffa, dopo la pioggia degli ultimi giorni.

«Senta, se mi chiedono del progetto "Un altro istituto"?»

«Niente, gli dica la solita solfa. Che lo studio non è solo un diritto per i detenuti, ma anche una possibilità in più per quando usciranno, e dunque il diploma in ragioneria bla bla bla. Le solite boiate.»

«E se mi chiedono come mai ha accolto questo progetto, proprio lei che è sempre...» Fazio si perde fra le parole, «... be'... lei è sempre... ha sempre dimostrato una certa sfiducia nei metodi...»

«Se glielo chiedono, dica che questo carcere si è

convinto a cambiare metodi e che rimarranno stupiti da quanti cambiamenti ci saranno.»

«Sul serio?»

Ombretta si concede un sorriso. Le formiche operaie sono innocue, in fondo. «Sul serio. Buona giornata, Fazio.»

«Anche a lei, direttrice.»

Fazio si morde la lingua, ma per sua fortuna Ombretta non l'ha sentito – esce con l'impermeabile muffo, la ventiquattrore frusta di Sandro, e la formica resta seduta in un ufficio non suo, un'agenda fra le zampette e gli occhi ciechi ai fiori nel prato.

Chiameresti Armida una frigida, Bernadette una puttana? Sandro aveva sorriso, allo stesso modo del Filibustiere. No, ma a te il nome Ombretta sta bene. Perché? Sandro le aveva accarezzato il lobo di un orecchio. Te lo spiego stasera. Ma non c'era stata quella né un'altra sera, per lui.

Ombretta entra in camera da letto. Sandro trasuda dalle pareti, dai cassetti, scolla la tappezzeria e si ciba di lana, di lei. E dire che qualche giorno fa ha pensato se non fosse il caso di togliere le foto, chiudere il faldone con gli articoli sul suo suicidio, regalare ai poveri i suoi vestiti. Reincollare la tappezzeria, rammendare i buchi – l'ha pensato solo per un attimo, e solo da lontano, ma l'ha pensato. Nella vita non si fa che una scelta, le diceva il Filibustiere, obbedire o comandare. Ma non è vero. Non è vero, papà, l'ho capito dopo aver creduto di vivere per comandare, quando ho scoperto di obbedire per vivere. All'amore per Sandro, e prima all'amore per te.

Ombretta si sfila l'impermeabile muffo, posa la ventiquattrore frusta di Sandro. Nell'armadio cerca una giacca più leggera. È la prima volta che la indossa quest'anno, e sa di naftalina e di chiuso, strozzata fra i vestiti si è sgualcita. Come me.

In salotto altre foto di Sandro, i suoi libri tra quelli del Filibustiere, Céline e Tasso, Canetti e Petrarca. La vecchia edizione del romanzo di Fogazzaro, ingiallita e senza copertina. Ombretta si infila in tasca la cipolla d'argento del Filibustiere, una foto di Sandro. Poi esce di casa e non chiude la porta a chiave – i ricordi sgattaiolano fuori, nella sua scia.

«Ciao Ombra.»

«Ciao Carli.»

La confidenza di un diminutivo, la falsa distanza del tu abbinato a un cognome privo di titolo, come quello del migliore amico a scuola.

«Ma sei in macchina?»

«Sì, sto andando a trovare mia madre.»

«Al lago? Sta male?»

«Tanto per cambiare. Tu? La trasferta romana?»

«Ordinaria amministrazione. Il ministro ha diramato un comunicato stampa sulla strage e noi lo riportiamo praticamente identico negli articoli. Senti, ma fai in tempo a tornare per lo spettacolo?»

«No, non penso proprio. Ma non preoccuparti, ha tutto in mano Fazio. A proposito, può essere tua una Moleskine nera col dorso rosso?»

«L'hai trovata tu?»

«Nel mio ufficio. Allora è tua.»

«Eccome! L'ho cercata per... ah, sei un angelo.»

Un angelo sconfitto, forse. Con le ossa delle ali che gli escono rotte dalle scapole e ormai senza piume.

«Senti, però se non fai troppo tardi potremmo vederci stasera. Eh, Ombra?»

«Carli, non so se...»

«Eddài. L'altra sera siamo stati bene insieme, no?»

«Ragione di più per non replicare. Così non roviniamo il ricordo.»

«Tu dovresti piantarla di rinunciare a vivere per fare la guardiana ai ricordi.»

Quello che vuol dire è che Sandro si è ucciso quattro anni fa, mentre lui è vivo.

«*Non* fare la guardiana ai ricordi significa uscire con te?»

«Anche. Allora, è un sì o un no?»

«È un non lo so.»

«Okay, l'hai voluto tu: ti chiamo più tardi.»

L'acqua delle risaie è torbida dopo la pioggia dei giorni scorsi, l'orizzonte è un pantano che puzza di marcio.

Era una di quelle ragazze che si scrivono gli appunti sul palmo della mano, e portava i capelli alla maschietta tra compagne di classe con la coda di cavallo. Sarebbe stata adatta a una scuola pubblica, un istituto tecnico o un liceo scientifico, non al collegio femminile in cui sua madre l'aveva iscritta.

Adesso gli appunti sulla mano non li scrive più, ha addirittura un palmare per questo; se non altro, ora sua madre le muove un rimprovero in meno.

Non è seduta con le altre ospiti di Lago Sereno, naturalmente. Lei vorrebbe vivere ancora a casa sua, con un'infermiera personale e magari una governante; mentre Lago Sereno è pur sempre un ospizio, per quanto di lusso, fucina promiscua di malattia, vecchiaia e umana sporcizia.

Bussa, sua madre evita di rispondere. La maleducazione dello snobismo. Ombretta socchiude la porta, si affaccia come un'inserviente.

«Ah, sei tu.»

È come se fossero mesciati di rosa, i capelli di sua madre. Di anno in anno le si diradano, e il pettine che li tira nello chignon disegna righe candide e righe di cute, una cute rosa come pelle nuova – rinata dopo una ferita, così delicata da dolere al tocco.

«Te l'avevo detto che venivo, ricordi? Ti ho telef...»

«Avevi detto alle quattro emmezza.»

Sono le quattro e quarantuno.

«Sì, c'era coda in autostrada. Scusami.»

In realtà sarebbe arrivata in anticipo, se non fosse passata dal lago. Ma dal lago sarebbe passata anche se fosse stata in ritardo, perché Sandro è ancora più nel lago che in casa, soffia bolle in superficie e respinge i sassi gettati, i cerchi si stringono invece di allargarsi, si stringono intorno al suo viso che si muove sotto il pelo dell'acqua – ma è l'acqua a muoversi, non lui, lui l'hanno tirato fuori dal lago quattro anni fa, come una scarpa scompagnata, come una bici arrugginita, gonfio d'acqua, gonfio di morte. L'hanno tirato fuori e l'hanno steso sulla riva proprio lì, dov'è tornata Ombretta oggi prima di andare da sua madre, dove l'ha visto per l'ultima volta da viva, per la prima volta da morto. Chissà se hanno trovato lì anche l'Ombretta di Fogazzaro.

«Come stai?» chiede a sua madre, anche se conosce in anticipo la risposta.

«Come vuoi che stia.» Il tono di sua madre è astio, è fuliggine, non è il candore del suo aspetto. «Come al solito.»

«E qui come vanno le cose?»

«Come vuoi che vadano.»

Forse è un errore dare dello stupido a chi parla a pappagallo, forse è semplicemente cattivo. Ombretta si sfila la giacca, si siede ai piedi del letto, come sempre quando è in quella camera, come sempre non troppo vicino a sua madre, non in linea con il suo sguardo.

«C'è il sole, fuori, perché non...»

«Ombretta, è *ovvio* che il sole è fuori. Non ti ha insegnato niente tuo padre?»

Ombretta si gratta la fronte con un pollice. Ho quarantadue anni, si dice, ho quarantadue anni, quaranta di troppo per mia madre, quattro di troppo per me.

«Volevo solo dire che potremmo andare in giardino a prendere un po' d'aria.»

Sua madre sta per rispondere di no, ma ci ripensa. In fondo, mostrare alle altre ospiti di Lago Sereno che sua figlia è venuta a trovarla deve farle piacere, sebbene lei non sia esattamente la figlia che le farebbe piacere mostrare.

«Andiamo pure.»

Il sole trema sul lago come se il contatto con l'acqua fredda lo infastidisse. Le ospiti sedute sulle sdraio hanno coperte a proteggerle dall'aria. Sembrano senza gambe, tanto le coperte aderiscono alle sdraio e scendono inerti sull'erba.

«L'altroieri è caduta la mia vicina di stanza» dice sua madre. «Si è rotta il femore.»

«Mi spiace.»

«Il figlio ha già disdetto la camera, se la porta a casa. Non lascia sua madre qui da sola in quello stato.»

Sua madre si appoggia più pesantemente al bastone, strascica più rumorosamente i piedi. Ombretta guarda l'acqua, le increspature sollevate dalla brezza sono denti che possono divorare chiunque e qualunque cosa, imperturbabili, senza risputare nemmeno lo scheletro.

«Prima o poi succede anche a me» insiste sua madre. «Ho sempre paura di cadere e di spaccarmi qualcosa.»

«Mamma, si cade *perché* ci si spacca qualcosa, non il contrario. A te è difficile che si rompa un femore. Mica hai l'osteoporosi.»

«Chi te l'ha detto.»

«Me lo dicono gli esami, e tutto il formaggio che hai mangiato in vita tua, e i tuoi denti. Quante carie hai avuto nella tua vita, una, due?»

«Una, perché? Che vuol dire?»

«Vuol dire che hai i denti di un cavallo, mamma, che sei piena di calcio co...»

«Tuo padre non avrebbe mai osato dirmi una cosa del genere.»

Già, il Filibustiere avrebbe detto che ha i denti sani, forti, belli, e si sarebbe limitato a *pensare* che la dentatura di sua moglie – e non solo quella – è equina. Ombretta si ferma, lascia il gomito di sua madre.

«Senti, forse non ti è chiaro, ma io *non sono* mio padre.» Però gli assomiglia, gli assomiglia anche troppo, e forse è questo il problema, e per un istante sua madre la osserva e sembra pensare lo stesso.

«Tuo padre» sospira sua madre. Anche lei guarda il lago, e chissà che cosa ci vede. «A volte mi chiedo perché è morto prima di me. Gli uomini muoiono troppo spesso prima delle loro donne, perché? È da quando se l'è portato via quell'infarto che me lo domando.»

Sandro fluttua sotto il pelo dell'acqua, divorato dai canini del lago come da piraña.

«Dicono che le donne hanno la fortuna di saper vivere da sole» risponde opaca Ombretta.

«Fortuna? È una condanna» sospira sua madre.

Ombretta le stringe il gomito.

Sono esposti in vetrina, oppure occhieggiano dalle vie laterali, si lasciano calpestare come chewing gum fra i ciottoli e restano appiccicati alle suole. Ricordi di Sandro, ricordi di loro, quella volta che lui l'ha presa a cavalluccio e un gruppo di turisti giapponesi l'ha applaudito, il pomeriggio in cui hanno cercato gli occhiali da sole che lui aveva visto su un giornale e poi non li hanno comprati.

Ombretta cammina lungo la strada principale del paese e a ogni passo il chewing gum dei ricordi si attacca al selciato, si allunga, schiocca e resta sotto la suola.

«Pasotti!... Ombretta!»

Si volta verso la voce sconosciuta di una donna sconosciuta.

«Sei la Pasotti, no?» La donna sorride portandosi una mano al petto, come se si presentasse a qualcuno che non parla la sua lingua. «Sono Fiorenza. Fiorenza Mandelli.»

Ma certo. Una del collegio, una delle poche che la chiamavano per nome e senza sorrisini. Una con più inchiostro sulle dita che bellezza, anche lei.

«Scusami, non ti avevo riconosciuta.»

«Che piacere vederti!» Fiorenza le appoggia le mani sulle spalle, le schiocca due baci sulle guance. Sa di lago, di primavera. «Come stai?»

«Bene, tu?»

«Bene, bene... ma che ci fai qui? Credevo che lavorassi a...»

«Infatti. Sono venuta a trovare mia madre.»

«Ah, giusto... senti, perché non andiamo a prenderci un aperitivo?»

«Veramente, devo tornare a...»

«Eddài! Sono così tanti anni che non ci vediamo! Non hai neanche il tempo per un caffè?»

19

«Va bene.»

Fiorenza sembra contenta mentre la trascina in un bar, scova un tavolino libero e si sfila il soprabito. Anche lei ha perso l'inchiostro e conservato la bruttezza, ma non ci fa più caso come allora, e pazienza se il bruco non è diventato farfalla ma millepiedi. Ombretta si siede senza togliersi la giacca, stringe le mani fra le ginocchia.

«Allora, Ombretta, che mi racconti? Come ti vanno le cose?»

«Bene.»

«Sempre direttrice di carcere?»

«Sempre.»

«Però, che coraggio. Io insegno alle elementari e già mi sembra una fatica pazzesca tener testa a dei bambini.»

«Ci si abitua.»

Arriva il cameriere, Fiorenza ordina un caffè macchiato, Ombretta un bicchiere d'acqua naturale.

«E per il resto? Sei sposata?»

«No.»

Fiorenza la guarda meglio, il sorriso le svanisce anche dagli occhi.

«Scusami, avevo letto che...» Allunga un braccio verso di lei, lo ritira. «Scusa, pensavo che magari...»

Che magari mi fossi "rifatta una vita", come si rifà un maglione a ferri mal riuscito?

«Non importa. E tu? Oltre a insegnare, intendo.»

Fiorenza ritrova il sorriso.

«Be', niente di speciale. Sono sposata e ho due figli, anzi peggio, due *gemelli*, in piena crisi adolescenziale. Solite cose, sai. Abbiamo traslocato da poco e Niccolò si lamenta che adesso il liceo è lontano e vuole il motorino, e invece Camilla vuole il telefonino che fa le foto.»

Le solite cose. Fosse semplice, costruirsi qualcosa di solito. A volte è impossibile. Il cameriere porta il caffè e l'acqua.

«Ma io e Alberto, mio marito si chiama Alberto, resistiamo. No? Mica gli si può dare tutti 'sti vizi... ma sono due bravi figli, non mi posso lamentare. Pensa che mi stanno aiutando a preparare la festa di Pasqua a scuola, e vedessi come si divertono ad aiutare i bambini a dipingere le uova, o a ritagliare i festoni. Anzi, sai che...»

Suona il cellulare, la mano di Ombretta scatta a raccoglierlo in tasca. Carli.

«Fiorenza, scusami, una telefonata di lavoro.»

«Fa' pure.»

«No guarda, è una cosa lunga... devo andare.» Si alza. «Ciao, mi ha fatto piacere rivederti.»

«Anche a me.» È perplessa, la voce di Fiorenza che la raggiunge alle spalle.

«Ciao Ombra.»

«Non dovresti essere allo spettacolo, a quest'ora?»

«Uau, che saluto caloroso! Dovrei. Solo che le cosiddette autorità non sono ancora arrivate. Tu dove sei?»

«Sempre al lago.»

«Tua madre?»

«Come al solito.»

È arrivata alla macchina, apre lo sportello.

«Allora, stasera ci vediamo o no?»

Ombretta si siede. Il parabrezza è sepolto sotto una coltre di polvere acida e smog.

«Perché mi chiami Ombra?»

«Perché ti chiamo... cos'è, non ti piace?»

«Dimmi perché mi chiami così.»

«Perché... boh, perché mi piacciono i nomignoli.»

«E perché hai scelto Ombra come nomignolo?»

«Ma che ne so! Ti si addice.»

«In che senso?»

«In che senso... nel senso dell'ombra. L'ombra è un fenomeno affascinante, no? Un'impronta buia di te.»

Belle parole. Piacerebbero al Filibustiere, e anche a Sandro – come Ombretta sdegnosa del Mississipì. Belle parole che non significano nulla e non significano lei.

«Quindi anch'io sono un fenomeno affascinante.»

Ma non è questo il senso.

«Tu sei una donna affascinante, e in particolare affascini me, e se non l'hai ancora capito... ma perché me lo chiedi? È un pezzo che ti chiamo così.»

«Te lo spiego stasera.»

Il senso è che io sono un'ombra, non me stessa.

«Allora stasera... occristo, sono arrivati quegli idioti del Comune, devo andare. Però stasera ci vediamo, allora! Prometto che non te ne pentirai, Ombra. Ti chiamo più tardi per i dettagli, okay? Un bacio.»

Un'impronta buia di me.

C'è chi ama l'alba e chi preferisce il tramonto, chi ne trae simboli su ottimismo e pessimismo e chi non li nota. C'è lei in riva al lago, in riva a un tramonto non bello, col sole che svapora in un alone malarico. Quando Sandro è annegato c'era la nebbia, e una luce fioca che non aveva resistito a lungo al buio.

Nella vita non si fa che una scelta, obbedire o comandare? No, papà, nella vita si apprende o non si apprende, e la scelta la fanno le cose che si conoscono e quelle che si ignorano. Sandro conosceva la pietà umana e il perdono – per tutti, tranne che per se stesso – e non sapeva nuotare. Io...

Ombretta si sfila la giacca, gli stivali, si toglie di tasca la cipolla d'argento del Filibustiere e la foto di Sandro.

Io conosco l'amore e il rimpianto, e so che non si può cambiare ma che si può essere cambiati. So nuotare. So sparare.

23 gennaio

Prima visita al carcere. Finalmente sono riuscito a convincere la direttrice a incontrarmi, anche se non sembrava contenta della mia visita. Che abbia paura dei giornalisti? Comunque, mi ha accordato il permesso di tornare.

Oltre alla fama ha anche un nome terribile, Ombretta. Incontrarla è stato come incontrare una risposta alla mia prima domanda: com'è che questo carcere funziona? Come mai sono quasi quattro anni che non si parla più di droga, o di contatti fra detenuti e malavita? Basta una donna con la nomea della dura a cambiare le cose?

Sì, a quanto pare. La Pasotti è davvero una donna dura. Dura e virile, in effetti: si veste da uomo, porta i capelli cortissimi e vuol essere chiamata "direttore". Quando l'ho vista, lì per lì mi è venuto da ridere: una Camel senza filtro tra le labbra e il personaggio alla Charles Bronson sarebbe stato completo. Ma non è ridicola, in realtà. Ha una luce negli occhi che toglie ogni voglia di scherzare.

5 febbraio

Mi domando se la Pasotti non sarebbe un personaggio adatto al mio libro. Forse sì, con tutto il dolore che si porta dentro, e anche per qualcos'altro che non capisco. Il dolore va be', basta una ricerca d'archivio per conoscerlo: quattro anni fa il fidanzato strappa la libertà vigilata per un detenuto, quello appena esce fa una strage, il fidanzato si suicida, lei chiede il trasferimento, diventa Charles Bronson eccetera. Ma basta questo dolore a spiegare quella luce negli occhi?

13 febbraio

«Nella prossima vita ci pensa due volte, prima di arricchirsi alle spalle dei malati.» Ombretta non l'ha detto alla stampa, ovvio, l'ha detto al suo vice. Parlavano di un primario condannato a tre anni per frode che si è ucciso. Non sa cosa siano, lei, il pietismo o il politically correct. Questo mi piace moltissimo.

26 febbraio

Ho invitato Ombretta a cena, ma ha rifiutato. Perché l'ho invitata? Perché ha rifiutato?

7 marzo

Ho finto di capitare dalle sue parti prima di cena, l'ho chiamata e ho insistito finché non ha accettato di prendere un aperitivo insieme. Mi ha accolto in salotto e poi si è chiusa in camera sua per prepararsi. Il salotto è pieno di libri, dai grandi classici ai contemporanei. Nessun libro recentissimo, comunque. Ci giurerei che l'ultimo l'ha comprato quattro anni fa. Ho anche visto la foto del D.F. (defunto fidanzato), che naturalmente ha il posto d'onore su una libreria: un ometto bruttino, con pochi capelli. Chissà perché, ho l'impressione che fosse più basso di lei.

15 marzo

Mi spiace che una donna simile abbia deciso di consacrarsi al culto dei morti. I suoi genitori avrebbero dovuto essere appassionati di mitologia greca, altro che Fogazzaro, e chiamarla Proserpina. Nome assurdo per nome assurdo...

24 marzo

Finalmente ha accettato di uscire a cena, e mi permette addirittura di chiamarla con un nomignolo. Mi affascina, Ombra. Una donna che cerca di rendersi brutta, che si è consacrata a un mestiere in cui non crede più e a un uomo che non esiste più. Tutto questo è molto letterario (e va molto bene per il mio libro). Il dolore in lei è diventato non solo durezza, ma inerzia: Ombra è una palla che rotola in avanti, eliminando gli attriti che incontra sul suo percorso. Io sono un attrito.

2 aprile

Come sospettavo, è saltato fuori che quel nome tremendo gliel'ha dato suo padre, per il quale Ombra nutre una venerazione simile a quella per il D.F. e del tutto ingiustificata. Suo padre era soltanto un letterato idiota che ha avuto una figlia troppo tardi e si è messo a giocare a Piccolo mondo antico.

7 aprile

Riuscirò a riportarla fuori a cena, o addirittura a baciarla? Mah. Certo che, se mai succedesse, lei si sentirebbe in colpa verso il D.F. Sai che affronto, per un morto, fare una cosa da vivi.

Non è luce. È mancanza *di luce. Ombra ha gli occhi di un morto.*

Sembrano due, tre spari, l'eco rimbalza sull'acqua del lago e si disperde fra alberi e ville. Ma è uno sparo solo.
Uno sparo, un tonfo – quello di un corpo in acqua.
Sulla riva una giacca,
un paio di stivali,
una cipolla d'argento sporco,
una fotografia,
annegati nel buio.

Cronaca di una storia qualunque

Quando Rosaria gli annuncia di essere incinta, il 19 marzo 1998, la prima domanda che sale alle labbra di Andrea non è: sei sicura, è: di chi. Non che abbia dubbi sulla propria paternità, ma quella di mettere al mondo un figlio è sempre stata un'ipotesi così remota dalla sua realtà che Andrea non solo stenta a comprendere, ma è assolutamente convinto di non poter diventare padre – non ancora, per lo meno, non a diciassette anni. Per cui: qualcuno ha avuto un rapporto sessuale, da quel rapporto sessuale nascerà un figlio, a lui non rimane che domandare di chi sia quel figlio. Certo non suo. Ma poi le lacrime di Rosaria, e ancor più delle lacrime le sue spalle, che tremano come se soffiasse un vento gelido, gli fanno capire: lui e Rosaria hanno fatto l'amore. Per la prima volta. Lei non prendeva la pillola né usava il diaframma, lui il preservativo nel portafoglio ce l'aveva, ma vorrai mica usarlo la prima volta, e poi basta uscire in tempo. Non è uscito in tempo. Hanno sperato – anzi, non hanno neanche sperato troppo: sono così giovani, così

immortali, niente dovrebbe potergli sottrarre il
mondo da dove lo tengono: tra le mani. E adesso
avranno un bambino. Prima ancora di averlo,
dovranno dire ai loro genitori che l'avranno. Andrea
se la cava con una sfuriata di suo padre, un pianto
di sua madre e uno schiaffo del suo principale al
lavoro, quello che diventerà anche suo suocero.
Rosaria incassa insulti e sberle, ma non troppo
pesanti visto che è incinta. Tra loro parlano del
bambino, e di come fare, e se sia il caso di tener-
lo, quando ormai è troppo tardi per un aborto lega-
le. Rosaria è felice di doverlo tenere, in fondo è da
quando a quattordici anni ha smesso di studiare e
da quando sei mesi fa si è fidanzata con Andrea che
aspetta di diventare quello per cui la sua famiglia
l'ha educata – una moglie e una madre. Andrea ha
la certezza di aver sbagliato tutto, di essersi giocato l'esistenza, e per alcuni giorni lavora e frequen-
ta Rosaria con la consapevolezza di non amare il suo
lavoro, di non amare Rosaria e di non amare il bambino, di voler essere giovane e bello com'è sempre
stato, di *dover* essere giovane e bello, e fa quello
che ha fatto nei mesi scorsi, affiancando la como-
dità del fidanzamento con la figlia del capo all'ec-
citazione dei flirt con altre ragazzine. Finché Rosaria non si sente male davanti a lui, e mentre sta male
lo guarda come se gli stesse chiedendo scusa, e
Andrea smette di frequentare altre ragazze, smette
di pensare che non ha mai voluto passare la vita con
la figlia del capo e neanche con quel capo, smette
di sentirsi giovane e bello e diventa quello che il

suo errore lo chiama a diventare: un fidanzato devoto, un futuro padre e un uomo povero.

Il caposuocero è molto chiaro: di soldi, in una famiglia che oltre a quella di Rosaria ha sei bocche da sfamare (i due genitori e altri quattro figli), non ce ne sono molti, per cui Andrea dovrà lavorare sodo e non aspettarsi troppo aiuto; del resto, l'impiccio (il caposuocero dice proprio così: impiccio) l'ha combinato lui e lui deve subirne le conseguenze. Andrea dice quel che gli altri si aspettano da lui, e cioè che è d'accordo, e lavora sodo.

E risparmia. Smette di vedere gli amici, di giocare ai videogame, di fumare, di andare in palestra. Non protesta più con Rosaria perché, da quando stanno insieme, non ha più visto un film al cinema né frequentato una discoteca, si rassegna a passare le serate sul divano dei suoceri, inizia a contare ogni settimana i soldi che ha risparmiato, apre un conto insieme a Rosaria – e fa tutto con un impegno tale che, alla fine, riesce a convincersi: ama il suo lavoro, ama Rosaria e ama il bambino. In fondo è quello che ha sempre voluto, no? Andarsene il prima possibile dalla sua sfasciata famiglia; è ben per questo che ha iniziato a lavorare a sedici anni, è ben per questo che ha corteggiato una ragazza sicura e devota e con una famiglia indistruttibile come Rosaria. Dunque ha davanti la vita che ha sempre voluto. Dunque ha davanti una gravidanza che lui e Rosaria hanno desiderato. Ed è perfino divertente giocare al padre e al marito, incontrare gli amici, vederli strabuzzare gli occhi o stirare le labbra in un sorriso poco convinto o sentirli bofonchiare degli auguri di convenienza e poi guardare Rosaria, e pensare che loro due sono diversi, più adulti e responsabili, infinitamente più vicini alla felicità e alla pienezza vitale di qualsiasi adolescente che ancora si dibatte nei problemi scolastici. Soltanto quando incontra Giulia, una ragazza più vecchia di lui che per un po' gli ha fatto la corte, dentro Andrea si apre una pozza nera: davanti a Giulia che è bella e gli ricorda che cosa significhi il rimpianto delle occasioni perdute, davanti a Giulia che, alla lieta novella, non fa neanche finta di sorridere e dice oh mio dio e lo guarda arrabbiata come se volesse picchiarlo, Andrea ha per un attimo, forse per meno di un attimo ma ce l'ha, la tentazione di dirle ti prego, portami via. Invece la saluta con un formale bacio sulla guancia e la lascia senza neanche dispiacersi troppo del fatto che, forse, Giulia non la vedrà mai più.

Il bambino nasce di notte. Andrea riceve la telefonata del caposuocero dopo che Rosaria è già stata portata via; quando arriva in ospedale, lei è in sala parto: gli chiedono se vuole entrare, gli dicono che Rosaria soffre molto perché è così giovane e così magra. Lui ascolta senza sapere che fare – hanno seguito i corsi preparto insieme ma non hanno mai affrontato l'argomento parto; forse Rosaria lo vorrebbe accanto, ma lui preferisce restare fuori, in compagnia di un senso di estraneità che non riesce a scacciare neanche quando vengono a dirgli che il bambino è nato, è sano ed è maschio. Anzi, mentre il caposuocero lo abbraccia, quel senso di estraneità si accresce – ed è un bene, ché non gli fa sentire un aculeo di delusione: il bambino c'è, esiste, vive, il giornale lo metterà col suo cognome (*suo di Andrea*) fra i nati denunciati oggi, 7 ottobre 1998. E Andrea esce dall'ospedale, senza aver visto né Rosaria né il bambino, senza vedere dove va. Solo dopo molto si accorge di essere arrivato a casa: sale, dà la notizia a sua madre, telefona a suo padre e comincia a fare le valigie.

Dall'8 ottobre si trasferisce a casa dei futuri suoceri.

Lui e Rosaria hanno una stanza che il letto matrimoniale, l'armadio e la culla occupano quasi per intero; i quattro fratelli di lei si sono trasferiti in tre nella stessa camera, mentre il più piccolo dorme in soggiorno, sul divano letto. Andrea esce la mattina con il caposuocero, lavora dalle otto alle cinque, torna a casa e sta con Rosaria e il bambino, in camera loro o in cucina perché in soggiorno ci sono i fratelli di Rosaria che fanno i compiti. In cucina, Rosaria e sua madre gli raccontano cosa ha fatto il piccolo Marco durante la giornata, e lui cerca di fingersi interessato e tiene il bambino in braccio; in camera da letto, spesso non riesce a evitare di addormentarsi, e allora Rosaria lo scuote, lo invita dolce e implacabile a seguire i progressi di Marco, fino all'ora di cena. Dopo, guardano tutti insieme la televisione, ma lui e Rosaria si ritirano abbastanza presto: Marco è capriccioso, mangia e dorme poco, e loro due hanno bisogno di riposare. Passano la notte fra qualche mezz'ora di sonno e le urla del bambino, cullandolo fra le braccia e allattandolo, e la mattina la sveglia suona alle sei emmezza e Andrea si butta cieco giù dal letto, si butta cieco in bagno, e resta lì, seduto sul piatto della doccia con l'acqua che gli tempesta le palpebre, per almeno un quarto d'ora, finché il caposuocero o la madre di Rosaria o un fratello di Rosaria o Rosaria non reclamano il loro turno. Ed è proprio mentre sta sotto la doccia, mentre il caposuocero o la madre di Rosaria o un fratello di Rosaria o Rosaria reclamano il loro turno, che una mattina di metà novembre Andrea comprende che non può più resistere in quella casa, con quella gente, in quella vita. Allora si alza dal piatto della doccia, chiude l'acqua, si allaccia un asciugamano in vita, esce dal bagno e dice che lui e Rosaria si cercheranno un appartamento per conto loro. Mantenersi da soli sarà difficile, certo, ma è giusto così: del resto, lui compirà diciott'anni fra meno di due mesi, ha la sua famiglia, quindi è ora che si prenda le sue responsabilità di adulto fino in fondo. I genitori di Rosaria non hanno nulla da obiettare, solo il caposuocero gli dice bene, hai ragione, ma ci sono due cose che devi sapere: primo, mia figlia non esce da casa sua se prima non la sposi; secondo, noi potevamo aiutarvi dandovi una camera, ma non potremo darvi dei soldi. Andrea lo guarda: matrimonio, pochi soldi, un figlio, fatica. Ma non potrà andare peggio di adesso, e dice che è d'accordo.

Il matrimonio viene celebrato il 22 dicembre 1998, il giorno dopo il diciottesimo compleanno di Andrea: meno sfarzoso di quanto Rosaria sognasse, più sfarzoso di quanto Andrea volesse. Come luna di miele passano un fine settimana in riviera e poi traslocano nella camera e cucina che hanno affittato in periferia. Dei problemi economici, Andrea si accorge quando fa i conti del primo mese di matrimonio: anche se non è più un semplice apprendista, la sua paga è bassissima, e una volta pagato l'affitto, le spese, il cibo, l'autobus e le mille necessità di Marco, non resta niente. Per andare avanti, Rosaria dovrebbe cercare un lavoro, ma dove si può lasciare Marco? Gli asili nido sono carissimi e lo stipendio di Rosaria, a cui è stato offerto soltanto un posto da shampista, non basterebbe a coprire la retta. D'altro canto, la madre di Rosaria lavora, i suoi fratelli sono ancora troppo giovani per badare a un bambino, i genitori di Andrea lavorano anche loro. Così decidono che Rosaria continuerà a stare a casa, mentre Andrea si cercherà un secondo lavoro. Rosaria al marito non lo dice, ma è contenta: preferisce badare al bambino e alla casa, e poi sapere Andrea al lavoro le risparmia di domandarsi quanto lui resisterà in questa vita senza cercarsi distrazioni. Andrea non sta nemmeno a chiedersi se sia meglio ammazzarsi di lavoro o passare a casa le ore libere e si dà da fare per trovare un'occupazione serale. In capo a qualche settimana, trova lavoro in un garage: a partire dall'8 febbraio 1999, esce di casa la mattina alle sette, lavora col caposuocero dalle otto alle sei (fa ogni giorno un'ora di straordinario), passa da casa, cena, e alle otto è in garage, di turno fino all'una quando il garage chiude, quindi torna a casa e, per quanto Marco glielo permette, dorme le quattro o cinque ore che gli restano. Il sonno lo perseguita, ma in garage non c'è molto da fare: una volta che ha imparato ad associare le auto ai volti dei clienti, non gli resta che parcheggiare le poche macchine che rientrano durante il suo turno ed escogitare un metodo per non annoiarsi né addormentarsi mentre è lì, sottoterra, a fare la guardia alle macchine. Prova a guardare qualche programma televisivo, ma gli concilia il sonno; a volte vengono a trovarlo Rosaria e il bambino, ma succede di rado perché Rosaria, come lui del resto, non ha la patente; e così Andrea decide di provare a leggere. È un'idea che gli viene una domenica che lui, Rosaria e il bambino sono a passeggio nel parco: incrociano Giulia e un ragazzo che sembra straniero, e Andrea ricorda che Giulia ama leggere e scrivere, e gli sembra che sia quasi un segno, per cui in una pausa pranzo scartabella fra i libri usati di una bancarella e ne sceglie uno che ha un bel titolo, *Il profumo*.

Andrea comincia a leggerlo il 4 marzo in garage, sotto il neon del suo bugigattolo. Non riesce a leggere a lungo, non ha l'abitudine ed è lento, gli scappano la concentrazione e la pazienza, ma il giorno dopo riporta il libro in garage e continua a leggerlo, e nel giro di dieci giorni lo finisce, soddisfatto perché è riuscito ad arrivare fino in fondo e perché, oltretutto, gli è piaciuto. E così ne prende un altro:

legge i libri che ci sono a casa di suo padre, quelli che ci sono a casa di sua madre, e ogni giorno legge più in fretta e si concentra più a lungo, e allora un pomeriggio salta l'ora di straordinario e va alla biblioteca vicino a casa e fa la tessera e comincia a leggere di tutto, con l'ordine e il metodo che secondo lui deve avere un autodidatta deciso a seguire un programma: grazie alle indicazioni della bibliotecaria, una signora anziana che lo tratta con la tenerezza di una nonna e con cui lui fa finta di essere un liceale, legge gli italiani del dopoguerra, legge i naturalisti francesi, legge la beat generation, legge i russi. E più legge e gli piace leggere, meno gli piace restare nella camera e cucina che Rosaria ha arredato con poche cose di piccolo gusto e che si affaccia su una strada che potrebbe appartenere a qualsiasi città. Andrea pensa a suo figlio costretto a crescere in quella bruttezza, una brutta casa, una brutta famiglia di gente ignorante che non sa nemmeno insegnargli a parlare e tanto meno spiegargli che cos'è giusto e che cos'è sbagliato; pensa alla bruttezza della sua vita, a quel lavoro che non sente suo, a quella casa che non lo accoglie, ai discorsi sui prezzi della verdura che fa a tavola con Rosaria, al sesso raro e stanco che si danno, alla mancanza di sorprese e di imprevisti che non siano un ascesso al dente o una malattia di Marco. Andrea pensa, e sente che farebbe meglio a non pensare, a non leggere. Ma poi ogni sera torna in garage, apre il libro e sa che queste sono le uniche ore puramente sue della giornata – e va avanti.

Finché il 10 ottobre 2000, tre giorni dopo il secondo compleanno di Marco, quando lui ha alle spalle quasi vent'anni di vita e quasi due di matrimonio, il padrone del garage gli dice che, di lì a due mesi, chiuderanno; il contratto di affitto è scaduto, e i proprietari hanno deciso di dare quello spazio alla palestra accanto, che vuole allargarsi e probabilmente paga di più. Lui non deve considerarsi licenziato, certo che no, ma forse farebbe meglio a cercarsi qualcos'altro, se non vuole restare disoccupato. E io dove leggo? è la prima domanda che si fa Andrea. La seconda è: e io come vivo? Ricomincia a cercare.

Chiede in altri garage, chiede ovunque, ma nessuno ha bisogno di un ragazzino con la terza media e una famiglia da mantenere. Quando il garage chiude, Andrea si ritrova come un tempo a dover fare la cresta su qualsiasi cosa: smette di nuovo di fumare, smette di mangiare carne, smette di consumare acqua con due docce al giorno. Smette di leggere, perché alle sette di sera è a casa, e Rosaria pretende che lui segua il figlio e ha ragione, e Andrea si sforza di parlare con Marco, di leggergli favole e giocare con lui, ma suo figlio è un bambino brusco e svogliato che preferisce stare per conto suo, farsi coccolare dall'unico genitore che conosce – sua madre – e lagnarsi quando Rosaria non gli presta attenzione.

Poi trova lavoro, in un locale lungo il fiume che va di moda e dove hanno bisogno di qualcuno che raccolga i bicchieri vuoti, porti le ordinazioni ai tavoli, spilli un paio di birre quando i baristi sono troppo occupati. Andrea pensa che non avrà più l'occasione di leggere, ma è un lavoro, non pagano neanche male, e così eviterà di stare troppe ore nella sua brutta casa. Comincia ad andare al locale martedì 6 marzo 2001: ogni sera dev'essere lì alle nove emmezza, tranne la domenica e il lunedì; si avvolge un corto grembiule bianco intorno alla vita, raccoglie i bicchieri vuoti e i piatti sporchi, pulisce i tavoli, porta bibite e cocktail e panini e pizzette ai clienti, ogni tanto spilla le birre. Il locale è una specie di istituzione cittadina, e soprattutto dalle dieci alle due del mattino è strapieno; chiude alle tre, e allora Andrea aiuta gli altri a rimettere a posto, e non arriva mai a casa prima delle quattro, e alle sette la sveglia suona.

Rosaria si lamenta, gli dice che non può reggere quei ritmi e che è meglio cercare un altro posto, ma Andrea la zittisce con uno sguardo severo: lavorare al locale gli piace, per cui smette di fare gli straordinari al primo lavoro, chiede e ottiene di lavorare dalle nove alle sei invece che dalle otto alle cinque, impara a sprofondare nel sonno con la rapidità di un battito di ciglia per poter dormire in ogni occasione che gli si presenta, ma non smette di andare al locale. Gli piace, quel posto. In mezzo ai ventenni, ha scoperto di avere vent'anni anche lui; dopo l'epoca di clausura nel mondo di Rosaria, un mondo fatto di bambini e adulti e vecchi e mai di ragazzi, beve gli smozzichi di discorsi che capta fra i clienti come negli anni del garage ha bevuto i libri: i viaggi di uno, le esperienze sessuali di un altro, le riunioni di lavoro di un terzo e gli esami universitari di un quarto, e i sogni, le aspirazioni, le incertezze, le ingenuità, le grandezze, le miserie dei suoi coetanei, quelle che lui non ha avuto il tempo di avere. Apprende da loro e parla con loro, perché ormai lo conoscono: mentre raccoglie i bicchieri i clienti abituali gli danno una pacca sulla spalla e gli chiedono come va, e dopo secoli può parlare con i ventenni, parlare *come* i ventenni ed essere considerato un ventenne. Può addirittura essere considerato bello, dopo tanto tempo in cui si è scordato di esserlo: le ragazze lo corteggiano, spesso quelle al bancone insistono perché sia lui a servirle, e Andrea risponde a quelle avance con il misto di timidezza e malizia che in passato ha avuto successo anche con ragazze meno semplici di Rosaria, come Giulia, e si accorge che funziona ancora, che basterebbe un sorriso un po' meno timido e un po' più malizioso per scendere nel retro e fare quello che per tre anni ha fatto solo con Rosaria e che ora non fa praticamente mai. Ci discute, con Rosaria, e non solo per il lavoro al locale: ci discute per Marco. È un bambino di quasi tre anni e non parla ancora, si addormenta di continuo ed è lamentoso e viziato, e Andrea se la prende con Rosaria – ma Rosaria non capisce: passa tutto il giorno con suo figlio, lo cura, gli sta dietro, è Andrea quello che non c'è mai. Andrea pensa ma cosa vuoi dare a tuo figlio, che se tocca una cosa che non deve gli dici che è cacca e non gli spieghi perché, che lo fai crescere in questa miseria. Andrea pensa questo e pensa che suo figlio avrà diritto a studiare e a viaggiare e a crescere secondo i tempi giusti, almeno lui, pensa che lo lascerà sbagliare ma baderà a che non sbagli nel modo irreparabile in cui ha sbagliato lui, spera di offrirgli una vita che lo ripaghi dell'amore che suo padre non gli dà né sente per lui, ma non può dirlo a Rosaria né condividerlo con lei. O meglio, lei sarebbe d'accordo (viaggiare, studiare, come no), ma poi a Marco insegnerebbe a essere esattamente come loro, limitato come loro, e allora Andrea tace, va al lavoro con il caposuocero e poi, con la bici che ha comprato di seconda mano, corre al locale.

C'è Giulia, al locale. All'inizio non si vedeva spesso, ma da un po' di tempo ci capita quasi regolarmente il sabato e a volte anche il venerdì. Arriva con un piccolo gruppo di amici, sempre lo stesso il sabato, mentre di venerdì viene con persone di volta in volta diverse. È sempre con un ragazzo, ma difficilmente lo stesso per più di un paio di settimane. Quando si sono rivisti, ad Andrea ha fatto piacere, e ha avuto l'impressione che anche a Giulia abbia fatto piacere. Da quando si frequentavano lei è dimagrita, è anche più bella, ma Andrea ha soprattutto l'impressione che abbia acquisito più personalità e una caratteristica che lui non aveva mai riscontrato nelle sue ex e nemmeno in Rosaria, una caratteristica a cui gli viene di dare il nome di fascino. Non parlano molto, lui e Giulia: la prima volta sì, chiacchierano un po' – lui le racconta in breve i suoi anni di matrimonio, insistendo più sul lavoro che sulla famiglia, lei gli dice che ha pubblicato un libro e Andrea si ripromette di leggerlo, anche se non sa quando e se avrà modo di farlo. Dalla seconda volta in poi non scambiano che alcuni convenevoli, poche battute sul tempo e sull'affollamento del locale. Andrea lavora, serpeggia fra tavoli e persone, di quando in quando sfiora o sbatte contro dei corpi, e magari il corpo è quello di Giulia, e si chiede se vederla solo ogni tanto e in quel modo gli basti – se lo chiede a lampi, e subito ricaccia la domanda nel non detto, ripetendosi che lui ha una moglie e un figlio e che non importa se Giulia o un'altra ragazza gli fa o no gli occhi dolci. Ma importa: importa riscoprirsi capace di scherzare, di ballare e divertire gli altri, di giocare sul filo del corteggiamento con le ragazze al bancone. E quando un barista si licenzia – siamo a metà luglio 2001 – e il proprietario del locale propone a lui di prenderne il posto, visto che ormai conosce il mestiere, per festeggiare Andrea fa un sorriso meno timido e più malizioso a una ragazza al bancone e se la porta nel retro, fra le casse di birra e cocacola. Non è sesso, è una specie di liberazione che non gli lascia alcun senso di colpa – l'unico rimorso (o è rimpianto?) che lo sfiora è quando, uscendo euforico dal retro, vede Giulia appoggiata al braccio del fidanzato di turno. A casa, Rosaria come ogni notte accende la luce quando lo sente arrivare e, mentre lui si lava, si lamenta debolmente di quel maledetto locale; come sempre Andrea non replica, ma la mattina dopo le annuncia di essere stato promosso a barista e di avere tutte le intenzioni di tenersi stretto quel posto; Rosaria prova a protestare, a farlo ragionare, a scongiurarlo di badare alla salute, ma Andrea le dice che è lui a sgobbare quattordici ore al giorno e che quindi ha il diritto di gestirsi il lavoro come vuole, e la discussione si chiude lì.

Fare il barista non è più faticoso che fare servizio ai tavoli, ma Andrea deve passare al locale più tempo: va lì alle nove e non riesce mai a staccare prima delle quattro. Se negli ultimi anni il sonno è stato una costante della sua vita, adesso ne diventa il padrone: il torpore, la testa pesante, gli sbadigli gli sono connaturati e inevitabili come il respiro. Ma non importa, pur di continuare ad andare al locale: dorme tutto il giorno il sabato e la domenica, dorme nella pausa pranzo al lavoro, dorme quando piove e invece della bici prende l'autobus, dorme a casa prima di andare al locale, dorme. E fuma marijuana, e beve, e poi ci sono le ragazze al bancone che aspettano di bere o scopare con lui, e va bene così, va bene una vita confusa e a volte un po' sopra le righe e che cancella il caposuocero e la sua camera e cucina e suo figlio, va bene così. E poi c'è Giulia, Giulia che gli piace quando si fa la coda, così può guardarle un ciuffetto di capelli teneri e corti che sfuggono dal nodo e le solleticano la nuca, Giulia che si veste sempre troppo sportiva o troppo elegante, Giulia che quando lui le domanda quali siano i suoi libri preferiti nomina anche *Il profumo*.

Venerdì 31 agosto, uscito dal lavoro non trova più

la bicicletta: gliel'hanno rubata, per brutta che fosse. Andrea prende l'autobus, torna a casa, racconta la scocciatura a Rosaria, discutono se comprare subito o no un'altra bici (proprio adesso che bisogna prendere un nuovo paio di scarpe ortopediche a Marco che ha i piedi piatti), poi esce in anticipo per arrivare al locale in tempo: mentre è per le scale, Rosaria gli chiede come pensa di tornare a casa stanotte, quando non ci saranno più mezzi pubblici; Andrea pensa che potrebbe farsi accompagnare da una delle ragazze al bancone, le dice che chiederà un passaggio a un collega – e si domanda perché non si sente in colpa con Rosaria per la bugia, o in collera con se stesso per essere diventato un porco che riempie di corna una moglie sfortunata.

Poi esce.

È Giulia a riaccompagnarlo: quando viene a sapere che gli hanno rubato la bici, dice che tanto è il suo periodo da autista, visto che il suo ultimo fidanzato non ha la macchina, e gli propone di portarlo a casa lei. Andrea accetta, e alle quattro emmezza si ritrova su una vecchia utilitaria, seduto di fianco a lei e ai suoi pantaloni di seta grezza, davanti a un ragazzo bello e brillante che gli fa passare ogni tentazione di corteggiamento. Giulia lo deposita di fronte al suo portone; mentre il fidanzato prende il posto davanti, Andrea vede che lei, china sul volante, guarda in alto, come se volesse entrare dal balcone nella sua camera e cucina, come se volesse vedere la sua vita al di fuori del locale – e se ne vergogna. La sera dopo è di nuovo Giulia a riaccompagnarlo, ma stavolta deposita prima il fidanzato, poi porta a casa lui. Andrea pensa che è bello farsi portare senza doverle dire la strada e, quando Giulia accosta al marciapiede, si domanda se dovrebbe dirle qualcosa di carino, o baciarla: ma no, lei ha lasciato il motore acceso, lei ha un fidanzato bello e brillante, e lui ha una moglie e un figlio e niente di bello o brillante nella sua esistenza. E sta per dirle ciao, ma poi gli sale alle labbra una domanda che non aveva neanche pensato di farle – le dice non è che mi porteresti il tuo libro? Giulia gli dice di sì, solo quello, neanche ciao. Sì. E se ne va.

Gli porta il libro il venerdì dopo, al locale. Andrea lo legge il sabato pomeriggio, dopo la spesa grossa e il pranzo da sua madre, metà in bagno e metà in camera, mentre Rosaria guarda la tivù e ogni tanto lo chiama – Marco, chiama papà, dice Rosaria, come se suo figlio sapesse parlare e si rifiutasse per capriccio. Ma Andrea legge il libro di Giulia e non ascolta: è un romanzo, e lui non può giurarci, non vuole nemmeno crederci e nemmeno sperarci, ma più legge e più gli sembra una dichiarazione d'amore, una dichiarazione a lui, Andrea, quello che l'aveva rifiutata per mettere incinta la prima ragazzetta che gli aveva saputo offrire un'illusione di sicurezza, una dichiarazione immeritata e per questo bellissima, straziante, di una dolcezza esasperata – e quando, al locale, tende il libro a Giulia che si stupisce della velocità con cui lui l'ha letto, non sa dirle altro che mi sono preso un'altra bici. E lei dice di nuovo sì, solo sì.

44

Ma lo aspetta fuori, senza fidanzato. E gli chiede allora – allora, che mi dici del libro? Be', è un po' come se parlasse di me. Infatti parla di te. Ma perché? Io sono un ragazzetto qualunque con una storia qualunque. Giulia si stringe nelle spalle. Non lo sai? dice, in un libro sei sempre qualcuno, ed è questa una delle grandi menzogne della letteratura, che dà importanza anche a chi non ne ha. Giulia smette di guardarlo. Ma quando ho scritto quel libro tu di importanza per me ne avevi, eccome. Andrea non smette di guardarla. Allora è per questo che il tuo libro mi sembra una dichiarazione d'amore? È una dichiarazione d'amore, a te; l'ho scritto quando ci frequentavamo. Andrea toglie il lucchetto alla bici nuova, la tiene per il manubrio senza decidersi a salirci sopra. Adesso ci frequentiamo di nuovo, dice, senza sapere bene quale significato attribuire a queste parole, posto che ne abbiano uno. Ma Giulia è come se avesse capito, apre il baule e lo invita a metterci la bici dentro – riescono a farcela entrare soltanto abbassando il sedile posteriore. Andrea siede accanto a Giulia, ascolta il motore che tossisce, ascolta le gomme che scivolano sull'asfalto, ascolta il respiro di Giulia così vicino, e quando Giulia ferma la macchina e lui si guarda per la prima volta intorno non si sorprende di essere in un posto sconosciuto. Non che si aspettasse di essere portato a casa di Giulia, eppure c'è qualcosa di naturale e predestinato nel salire questa scala dietro di lei, nell'entrare in questo appartamento che sì, è una camera e cucina ma non è affatto squallido, nello spogliare Giulia e nell'essere spogliato da Giulia, nell'andare a letto con lei. E se la prima volta in cui ha fatto sesso è stata con Rosaria, se la prima volta in cui ha tradito sua moglie è stata con una delle ragazze al bancone, questa con Giulia è di sicuro la prima volta in cui il sesso gli dà qualcosa di più che un senso di liberazione. Con Giulia lui sta, per la prima volta e definitivamente, scopando. O facendo l'amore – che poi, al di là delle sottigliezze femminili dei fotoromanzi che legge Rosaria, a lui pare che fare sul serio l'amore non possa prescindere da una grandiosa, poderosa scopata: quella che lui sta facendo, quella di cui lui sta *godendo*, stanotte.

Lascia di malavoglia Giulia e il suo letto alle cinque emmezza, è a casa verso le sei; tranquillizza Rosaria dicendole che il locale è rimasto aperto un po' di più perché, visto il successo che ha, il proprietario ha stabilito senza preavviso di tenere aperto più a lungo – no, c'era troppa ressa per riuscire a telefonarle, e se poi svegliava Marco? Rosaria non è convinta, ma discutere con Andrea non le è mai venuto naturale, lui si chiude ed è come cozzare contro uno scoglio cavo, che nella sua oscurità nasconde segreti che Rosaria preferisce non conoscere – e finisce che sta zitta. Andrea si lava (si è mai sentito così indolenzito, così esausto, eppure così energico?) e si butta sul letto, ma non chiude occhio, e ciò nonostante la mattina dopo è la prima volta da mesi in cui va al lavoro senza rischiare di addormentarsi sulla bici a ogni semaforo rosso.

Dalla sera del 7 settembre, cominciano a passare insieme tutti i venerdì e i sabato notte: Giulia liquida gli amici e lo aspetta fuori; lui la raggiunge, carica la bici nel baule e si lascia portare nella casa di lei, nella stanza di lei, nel letto di lei, dentro di lei. Tutti i venerdì e i sabato notte, felice di questa regolarità, di una consuetudine che invece di venirgli a noia gli dà l'impressione di poter considerare Giulia una parte stabile, e dunque reale, della sua vita, un'abitudine che invece di fargli temere il giorno in cui uno di loro si stancherà gli dà la forza di alzarsi la mattina, salutare con un bacio Rosaria e Marco, chiacchierare con il caposuocero, tornare a casa e ascoltare il racconto di quello che Marco ha fatto, e cioè niente. Tutti i venerdì e i sabato sera Giulia arriva al locale, lo cerca con lo sguardo, gli sorride, e lui subito le porta da bere, le passa un dito sulle labbra, e lei approfitta della calca per stringersi contro di lui, passargli il palmo sotto la maglietta, sulla pelle. Beve gratis, Giulia, in questo locale dove Andrea ha sempre finto di non essere sposato né padre e dove tutti sanno che lui e Giulia sono insieme; beve gratis, Giulia, perché sta con lui, e quando il locale comincia a svuotarsi gli amici di lei gli tengono un posto perché lui sta con Giulia, il primo dopo tanto tempo che resista settimana dopo settimana, e Andrea non si sente a disagio con loro che sono laureati o almeno diplomati e a trent'anni vivono ancora coi genitori; con loro è quasi facile pensare che nella vita disgraziata che conduce ci sia del buono, la capacità di cavarsela da solo, la consapevolezza di poter resistere, così come con loro è facile tirare fuori il meglio di sé, i libri che ha letto e quello che gli hanno seminato dentro, il senso pratico allegramente cinico che la sua precoce maturità gli ha insegnato, l'umorismo timido che non fa ridere il caposuocero. Beve con loro, Andrea, ride e intanto tiene una mano sul fianco di Giulia, ed è come se potesse durare così per tutta l'eternità, tanto sono eterni questi momenti.

Finché non sente il bisogno di vederla più spesso, finché lei non è felice di averlo accanto più spesso. Giulia lavora in casa, Giulia c'è, e Andrea inizia a inventare scuse per allontanarsi dal lavoro durante la pausa pranzo e incontrarsi con lei, in qualche bar a mangiare un panino, seduti a un tavolo sotto cui le loro gambe si cercano; Andrea inizia a inventare scuse per uscire di casa prima la sera, ma invece di andare al locale va da Giulia, e Giulia capita al locale ormai tutte le sere, e Andrea parla con lei e fa l'amore con lei e vive di lei e se lei non c'è stempera le ore in una sorta di astrattezza felice, più benevolo se non più affettuoso con Rosaria e con Marco, gentile e disponibile come un estraneo a cui non costa nulla stare a sentire lo sfogo di un compagno di viaggio in treno.

Il ventunesimo compleanno di Andrea cade di venerdì, quest'anno, e il solo pensiero di passare la domenica a pranzo dai suoi suoceri gli fa desiderare di non esistere: inventa una gara nazionale di baristi, senza curarsi di quanto sia verosimile, nega a

Rosaria di accompagnarlo perché il viaggio alla consorte non è spesato e loro non possono sprecare soldi proprio adesso che Rosaria ha bisogno di farsi curare un dente (lei accetta il suo rifiuto con una tristezza rassegnata che lui non vede), si presenta da Giulia con più urgenza di quanta non abbia di solito e si regala il fine settimana del 22 e 23 dicembre al mare con lei: Giulia ama il mare d'inverno, gliel'ha detto molti anni fa, e così passano due giorni a passeggiare sulla sabbia – così umida che non basta sfregarsi i piedi con le mani per cancellarla –, a mangiare sul letto, a baciarsi per strada, a fare l'amore, e quando la sera della domenica tornano in città non hanno il coraggio di salutarsi sotto casa di lei e Andrea la segue di nuovo fra le sue lenzuola, e ci rimane finché non è così tardi che diventa presto.

Ed è mentre Andrea si riveste, lunedì 24 dicembre 2001, che Giulia glielo dice. È meglio che non ci vediamo più, gli dice. Andrea rimane a fissarla così com'è, con i pantaloni a metà coscia, incapace di tirarli del tutto su o di lasciarli cadere. Tu hai una famiglia che non lascerai mai, prosegue lei, e io ormai ci sono troppo dentro per accettare che non la lascerai mai. Abbiamo raggiunto il culmine, meglio lasciar perdere prima che io diventi un'amante rompipalle che non viene a letto se non le prometti di divorziare. Andrea finisce di vestirsi. Perché non credi che lascerei mia moglie per te? Giulia alza un sopracciglio. La lasceresti? Non lo so, forse io... Non la lasceresti, e io non voglio vederti inventare sempre più scuse per barcamenarti fra me e lei, e non voglio neanche che diventiamo due vecchi coniugi senza mai essere stati una coppia.

Andrea si infila il giubbotto. Sa che c'è una ragione per protestare, sa che c'è una frase semplicissima da dire – ti amo, non lasciarmi –, ma è così difficile perfino da pensare, e Andrea non la dice. La ragione di lei è più forte della sua ragione, ecco tutto, e non resta che tirarsi la porta alle spalle e tornare da Rosaria.

Andrea si tira la porta alle spalle e torna da Rosaria.

Sua moglie lo aspetta alzata, stavolta. Gli chiede com'è andata la gara, lui risponde che non si è nemmeno classificato ma si è divertito, e le domanda cos'ha fatto lei in questi due giorni. Be', inizia Rosaria, ho detto a mia madre della gara e lei è stata ben contenta di tenere Marco mentre noi non c'eravamo. Così ieri sera sono andata al locale, ho detto che ero tua sorella e che volevo parlarti. Andrea non c'è, mi hanno detto, e te lo giuro, ti giuro che per un attimo ho creduto che ci fossi andato sul serio alla gara. Si è preso un weekend di ferie e ha portato Giulia al mare, mi hanno detto. Ma che stupida che sono, faccio io, e dire che lo sapevo, invece mi decido a venire a trovarlo al lavoro proprio quando non c'è. E poi mi sono fermata un po' a chiacchierare con un barista, e ho saputo che non è affatto vero che il locale chiude così tardi tutte le sere, e ho anche scoperto che lì dentro tu e questa Giulia siete praticamente due fidanzati ufficiali. E quindi sono tornata a casa, mi sono seduta qui fino a che stasera non sono andata a prendere Marco, ho detto a mia madre che non avevi vinto ma che ci eravamo divertiti molto, sono tornata a casa, ho messo Marco a letto e mi sono di nuovo seduta qui.

Andrea guarda sua moglie, le vede sul viso la tristezza e l'angoscia per l'amore che lui non prova e non proverà mai per lei, e le siede di fronte. Non ha voglia di toccarla, ma forse dovrebbe, se non altro per darle il pretesto di respingerlo, di avere un gesto d'orgoglio. Non la tocca. Adesso devi decidere cosa vuoi fare, riprende lei, devi decidere se restare con me o con lei, perché io non ci resisto in una situazione del genere. Andrea pensa che, se fosse un uomo, dovrebbe dirle che Giulia ha scelto per tutti e che lui d'ora in poi cercherà di starle vicino come può, per amore di Marco, ma in questo momento si sente un ragazzino abbandonato dall'unica persona che veramente conti per lui e a sua moglie dice, semplice e falso, scelgo te. Davvero? Scelgo te. E smetterai di lavorare al locale? ormai sei bravo, papà può aumentarti lo stipendio, ne parlavamo ieri, e poi Marco comincia a essere grandino e... Okay, mi licenzio dal locale. Faresti questo per me, sul serio? Rosaria lo guarda con occhi che bruciano, e anche stavolta Andrea dovrebbe dirle che lo fa per sé, per non vedere più Giulia, che si punisce per il senso di colpa che non prova, e invece le risponde solo che sì, lo fa per lei – e intanto pensa: d'ora in poi lavorerò dalle otto alle cinque con il caposuocero, poi verrò a casa, lot-

51

terò con Rosaria per educare nostro figlio in un modo per lo meno decente, farò un po' di sesso scialbo con lei, pranzerò con i parenti parlando del prezzo dei pomodori e dei piccoli progressi che Marco fa ma non dei grossi progressi che Marco *non* fa. Sì.

Subito dopo la chiusura natalizia, Andrea si licenzia dal locale – e per quattro anni fa quello che ha pensato: lavora dalle otto alle cinque con il caposuocero, lotta con Rosaria per educare il figlio in un modo per lo meno decente, fa un po' di sesso scialbo con lei, pranza con i parenti parlando del prezzo dei pomodori e dei piccoli progressi che Marco fa ma non dei grossi progressi che Marco *non* fa. Non legge un libro, vede pochi film, non ha altre donne, non porta Rosaria a vedere il mare d'inverno. Non si pone domande né problemi, come se dormisse sotto anestesia. E non vede Giulia se non in televisione: il suo secondo romanzo ha venduto milioni di copie in tutta Europa, e Giulia è conosciuta e amata. È ricca e famosa e chissà cos'altro, a parte gli stereotipi.

Poi, il 13 ottobre 2005, quando torna a casa dal lavoro, Rosaria gli dice che forse è incinta. Andrea la guarda: che sia contenta, mentre lui si sente scaraventato indietro, al giorno in cui lei gli aveva dato quell'annuncio per la prima volta? Ma adesso non gli viene da chiederle: di chi. Le dice: ma tu prendi la pillola. Rosaria abbassa gli occhi. Questo mese mi sono dimenticata di prenderla due volte, sussurra, ed è in questo momento che Andrea si risveglia, come se l'anestesia che l'ha ottuso negli ultimi quattro anni si fosse dileguata di colpo: le urla che non è possibile, che i figli bisogna scegliere di averli e che non possono *capitare*, che si è giocato l'adolescenza per crescere un figlio che ha imparato a parlare a cinque anni e non vuole saperne di crescere male un altro bambino che non amerà mai, che non farà gli straordinari in quel lavoro dimmerda soltanto perché lei si è dimenticata la pillola, e che se vuole il suo parere deve abortire, ma se proprio ci tiene al bambino, ebbene, sappia che lui si sente autorizzato a non fargli da padre.

Rosaria lo ascolta attonita, senza avere il coraggio di contraddirlo, ed è Andrea a interrompersi. Sa di essere stato egoista e infantile e ingiusto verso una ragazzetta che si è rovinata la vita quanto lui, ma al momento non gliene importa niente, ed esce. Gira in bicicletta per ore, passa sotto quella che era la casa di Giulia e che forse lo è ancora, passa davanti al locale, rientra. Rosaria è davanti al televisore acceso, gli occhi fissi sul niente come quelli di una morta. Scusa per prima, dice Andrea, ho detto delle cose orribili, non dovevo; ero fuori di me, e quando uno è fuori di sé succede che... Il test è negativo, lo interrompe Rosaria, quindi è solo un ritardo. Si gira a guardarlo: sta' tranquillo che non sono incinta.

Dopo queste parole non dice più niente, né a cena, né a letto, né al mattino quando Andrea esce per andare a lavorare.

Ho perso Marco.

È il 31 ottobre 2005, e queste sono le prime parole che Rosaria dice al marito quando irrompe nel cantiere in cui lui sta lavorando: Andrea, Andrea ho perso Marco, sono andata al giardino e ho perso Marco. Andrea fa quello che un marito deve fare: cerca di calmarla, poi le chiede di spiegargli per bene quel che è successo. Rosaria racconta di aver portato Marco al giardino, di averlo guardato giocare per un po', ma poi si è distratta, maledetta lei, ha notato un cagnolino grazioso e si è chinata ad accarezzarlo; questione di un minuto, ma quando si è voltata Marco era sparito.

Andrea e il caposuocero lasciano il lavoro, con l'aiuto di altri parenti raccattati in fretta e furia cercano il bambino ovunque, intorno al giardino e nei posti che conosce e in tutta la città, allertano la polizia e i carabinieri, fanno tutto quello che si può e si deve fare, per due giorni e invano. Andrea pattuglia le strade e telefona e cerca, senza essere sicuro di quello che prova, senza neanche avere il tempo di capirlo, e soltanto dopo due giorni di ricerche, la seconda sera, sente che così non può andare avanti. Non sa che cosa significhi quel "così" né sa come andare avanti diversamente, ma è certo che non può, non in questo modo. E allora lascia Rosaria dalla madre, inforca la bici e pedala svelto fino a quella che era casa di Giulia, sperando che sia ancora casa di Giulia. Un ragazzo appena grazioso gli apre la porta. Andrea chiede se Giulia vive ancora lì; il ragazzo risponde di sì, ma al momento non c'è e non tornerà prima di un'oretta. Andrea chiede di poterla aspettare, con un tono che non ammette se non una risposta affermativa, e il ragazzo gli fa cenno di entrare. Andrea siede in cucina, sentendo che sarebbe contento di ritrovare tutto come l'aveva lasciato, se potesse essere contento in questo momento; il ragazzo torna in camera da letto, siede alla scrivania. Andrea gli guarda i piedi nudi, la nuca china su un libro. Non è un segretario o cose del genere, non è un amico e nemmeno un parente, è il compagno di Giulia. E si sta chiedendo quanto questo gli farebbe male, se in questo momento fosse in grado di provare altro male, quando una chiave gira nella porta e Giulia entra. Non lo vede subito, così come Andrea non può vederla da dov'è seduto – sente solo i passi leggeri del ragazzo che le vanno incontro, e lo schiocco del loro bacio a fior di labbra, e i sussurri di lui sulla presenza di un suo amico in cucina. Giulia entra, si guardano.

È sparito mio figlio, dice Andrea, saltando tutti i preamboli che si era preparato aspettandola, è sparito da due giorni e nessuno lo trova, neanche la polizia, e io non ho soldi per cercarlo, e se non lo trovo o lo trovo morto non potrò mai perdonarmi, non l'ho amato abbastanza per potermi consolare o giustificare. Giulia lo guarda, e gli dice okay. Okay, cerchiamo tuo figlio. Davide! Davide, lui è Andrea e dobbiamo aiutarlo. Davide gli rivolge uno sguardo così tranquillo e pietoso, uno sguardo che mai rivolgerebbe a un rivale, che Andrea sente ancora più male di quanto male non senta già. Poi Giulia gli tende la mano, e Andrea scoppia a piangere, ancorato a quella mano come se il palmo di lei potesse raccogliere e annullare il dolore e la rabbia, piange per ore, ed è come se non avesse mai pianto prima in vita sua.

Come promesso, Giulia lo aiuta, prestandogli i soldi per assumere un investigatore privato e offrire una ricompensa, e Marco viene trovato il giorno dopo, 3 novembre 2005: febbricitante e deperito, gonfio di paura, ma vivo. Andrea segue suo figlio in ospedale, ascolta i medici e gli psicologi, accompagna Rosaria a casa dei suoi, stabilisce con lei e con i suoceri quello che va fatto per Marco, e poi dice che devono parlare di una cosa importante. Rosaria piega il capo, come se già sapesse di che si tratta, il caposuocero e sua moglie si dispongono ad ascoltare. Farò per Marco tutto quello che posso, comincia Andrea, e gli darò tutto quello che posso, è mio figlio e ne ha diritto, cercherò anche di amarlo. Ma non farò nient'altro. Non intendo fare un giorno di più un lavoro che odio, non intendo stare un giorno di più con una moglie che non amo. Adesso vado a casa, raccolgo le mie cose e me ne vado, e non c'è niente e nessuno che possa trattenermi. C'entra Giulia? domanda Rosaria. Sì, c'entra, ammette Andrea, Giulia c'entra sempre, ma non sto andando da lei. Sto solo andando via. Rosaria non aggiunge altro.

Quello stesso 3 novembre, Andrea lascia la sua camera e cucina.

In realtà da Giulia ci va subito. Davide non c'è, e Andrea è rapido con lei com'è stato con la famiglia di Rosaria: le dice che ha chiuso con sua moglie e con il suo lavoro, che ricomincerà daccapo e che le restituirà i soldi che lei gli ha dato per trovare Marco. Sono piena di soldi, ribatte lei, e non ho nessuna voglia di vederti sprecare un'altra parte di giovinezza per risarcire me. Come vuoi, però c'è un'altra cosa che devo dirti. Dimmela. Ho lasciato mia moglie, hai visto. Ho visto. Ci ho messo un po' di anni ma ce l'ho fatta, quindi adesso non rischieremmo di diventare due vecchi coniugi senza prima essere stati una coppia. È vero, ma io sto con Davide; voglio bene a Davide. Per le donne c'è sempre differenza tra dire ti voglio bene e dire ti amo. E questa dove l'hai letta? Nel tuo primo libro, e adesso ho intenzione di leggere il secondo, e poi ti verrò a dire che cosa ne penso. Giulia sorride appena. Andrea, non è come quattro anni fa. Lui ricambia il sorriso. Appunto, per cui non pensare che io faccia tutto quello che vuoi tu. E se ne va.

Per circa un mese emmezzo, dall'inizio di novembre a metà dicembre, dorme in una pensione che assomiglia in tutto e per tutto a quelle che ha trovato descritte in certi romanzi francesi dell'Ottocento; e per circa un mese emmezzo, la sua vita è così febbrile e stravolta da eccitarlo: cerca lavoro e lo trova come commesso in una libreria, un mestiere che gli sembra una sorta di predestinazione, dopo quegli anni di letture forsennate e ora che Giulia è una scrittrice, affitta un malandato monolocale in centro (ha scoperto che i prezzi non sono alti, basta rassegnarsi a ristrutturare se non a ricostruire quei vecchi appartamenti, e ogni sera lui ristruttura e ricostruisce), contatta un avvocato e fa mandare a Rosaria le carte per la separazione, va a trovare Marco in ospedale. Dopo un mese emmezzo, è un commesso di libreria apprezzato dai clienti, sua moglie si è rifiutata di firmare le carte per la separazione e gli impedisce di vedere suo figlio, vive in un monolocale spoglio ma che promette di diventare confortevole, ed è innamorato di Giulia. Le telefona spesso, la va a trovare spesso – anche se non ha ancora letto il suo libro. Davide non sempre c'è, lui e Giulia a quanto pare non convivono. Andrea sa che lui e Giulia stanno insieme da un paio di anni, vede anche l'insofferenza di Davide nei suoi confronti quando si incrociano, e tutto questo gli fa piacere: combatte per qualcuno a cui tiene, finalmente, combatte per Giulia e contro un avversario degno che, a sua volta, lo reputa degno – di gelosia e di considerazione, anche. Giulia non è insofferente verso di lui, e nemmeno indifferente. È passiva: lo ascolta al telefono, lo accoglie in casa, nient'altro. Con un sorriso che diventa sempre più amaro, finché non gli dice basta, Andrea. Basta. Basta cosa? Sto con Davide, adesso. Gli voglio bene, abbastanza per non volergli fare del male. Ma non sei innamorata di lui. Giulia sta ancora sorridendo, il suo sorriso sempre più amaro. Per forza, dice, sono innamorata di te. Sei un cretino che ha messo incinta una sciacquetta a diciassette anni, sei un egoista a cui non gliene frega niente di suo figlio. Ma sono innamorata di te, sono sempre stata innamorata di te. Non hai letto il mio secondo libro? Giulia ne raccoglie una copia da uno scaffale, gliela tende: eccolo, seconda dichiarazione d'amore. È incredibile che tu non l'abbia letto, che tu non sappia di aver fatto sognare milioni di donne nel mondo. Odio le smancerie, quindi te lo dico per l'ultima volta e ficcatelo bene in testa: io amo te, ho sempre cercato te negli altri e tutte queste belle cose. Sono una scrittrice, no? Ho sempre tentato di rendere la mia vita un'opera d'arte, solo che invece di farlo a livello estetico l'ho fatto a livello sentimentale, mi sono innamorata della persona sbagliata e ho continuato a esserlo per anni, anche quando mi avevi respinta e perfino mentre eri sposato. Andrea sta soppesando il libro fra le mani, la seconda dichiarazione d'amore di Giulia. E allora perché non stiamo insieme? le domanda. Perché... dio, se non lo capisci da solo non posso stare a spiegartelo. E adesso vai via.

Andrea va via; è la seconda volta che va via perché Giulia glielo chiede. Adesso però ci mette meno a capire, e il giorno dopo, il 14 dicembre, di prima mattina torna.

Giulia non c'è, la studentessa che le fa da segretaria part time dice che è andata a Cremona per un convegno. Andrea prende qualche giorno di ferie in libreria e parte per Cremona; arriva che il convegno è finito, gli dicono che Giulia è partita. Per dove?

Mah, forse è tornata a casa. Andrea torna a casa. La segretaria part time gli dice che Giulia da Cremona ha proseguito per Roma, dove ha un altro convegno. Andrea corre in stazione, ma il primo treno per Roma parte domattina. Decide che a venticinque anni è ora di provare l'ebbrezza dell'autostop e arriva a Roma in autostop. Il convegno è finito, gli dicono che Giulia è ripartita e che non sanno dove sia andata. Andrea telefona a casa di Giulia, non risponde nessuno. Deve aspettare il giorno dopo per sentirsi dire dalla donna di servizio che la signorina è fuori città – dove, lo sa dio. Ma forse lo sa anche Andrea, e così prende un treno per il mare – il mare d'inverno –, e durante il viaggio i suoi compagni di scompartimento devono pregarlo più volte di stare un po' fermo, insomma, e allora passa metà del tempo ad andare su e giù lungo il corridoio, e quando scende dal treno si dimentica di prendere il taxi e corre fino all'albergo in cui lui e Giulia avevano passato il fine settimana del suo ventunesimo compleanno.

La gestione è cambiata e la carta da parati anche, ma la stanza che ha preso Giulia è la stessa. Gli apre senza mostrarsi stupita, non ero sicura che mi avresti seguita a Cremona, dice, ma quando mi hanno detto che l'avevi fatto ho saputo che saresti arrivato fin qui. Non potevo non arrivare fin qui, dice lui con la voce ancora strozzata dalla corsa. Fanno l'amore male e in fretta, eppure ha qualcosa di bello e struggente farlo così, ed è subito dopo l'orgasmo, senza uscire da lei, che Andrea le dice quello che avrebbe dovuto dirle quattro anni fa. Ti amo, non mi lasciare. Sì, risponde Giulia. Sì cosa? chiede Andrea allarmato, sì mi lasci o sì mi ami o sì... Ti amo e non ti lascio. Lascerai Davide, allora? Sì; e tu? E io cercherò di essere una brava persona e di dare a mio figlio quello che posso. Non me ne frega niente che tu sia una brava persona, Andrea, non sto con te perché sei o vuoi essere una brava persona. E allora posso dirti che voglio vedere concerti con te e leggere libri con te e passeggiare con te e mangiare fino a scoppiare con te e farmi sgridare da te perché lascio alzata l'asse del cesso e lamentarmi perché a letto hai i piedi freddi, e non me ne frega di nient'altro. Va bene così? Giulia ride. Sì.

Rimarranno in quella stanza per sei giorni. Per sei giorni staranno senza vestirsi, senza lavarsi, senza quasi mangiare – fino a quando l'albergatore non li avvertirà timidamente che ecco, ormai è Natale e loro chiudono fino a marzo, per cui. Giulia e Andrea si laveranno, si vestiranno e lasceranno l'albergo. Pioverà e ci sarà uno sciopero ferroviario, così affitteranno una macchina e partiranno. Per strada, Andrea guarderà i tergicristalli schiaffeggiare l'acqua, sbatterla lontano dal finestrino, e avrà l'istinto di dire molte cose, ma troppo inutili e stupide per dirle a Giulia che non ama le smancerie, e allora dirà: magari prendo la patente.

Dirà soltanto questo, e farà soltanto in tempo a sentire la mano di Giulia stringere forte la sua; poi, al di là del muro di pioggia, appariranno dei fari, un'ombra, e ci sarà stridio di freni, e uno scontro. Troppo breve perché lui e Giulia possano dire fare pensare, durante. Troppo violento perché possano dire fare pensare, dopo.

Sarà il 22 dicembre 2005.

Tre armi
(Lettera da una fan)

La prima arma è la speranza, ed è l'arma dei folli. L'hai scritto in una tua canzone, Uomo dell'Aria, e se è vero come voglio sia vero tutto ciò che scrivi, allora io non sono folle. Sono una fan, e sai qual è la condizione di un fan, Uomo dell'Aria? La disperazione. L'ho provata subito, la prima volta che ti ho visto. Ti ho visto, ho visto i tuoi occhi assorbire lo spettro solare e restituire nero. Ti ho visto e ho saputo che desiderarti era perverso, ancor più che stupido, perverso e astratto, perverso e perfetto. Un desiderio che non si sarebbe mai compiuto, che non si sarebbe mai corrotto. Non avremmo mai condiviso ceste di biancheria sporca, non avremmo mai discusso se battezzare nostro figlio, se avere o no un figlio.

Era strano che Sandra scrivesse su carta da lettere. Qualunque frase o pensiero le sembrasse degno di essere trattenuto, lo scriveva sulle sue agende scadute, le stesse su cui scriveva interi racconti e romanzi prima di ricopiarli a computer. Al limite, se non aveva una delle sue vecchie agende a disposizione, buttava giù quella frase o pensiero su un taccuino che teneva in borsa, utile tanto per incartare i chewing gum masticati – quando ne acquistava una confezione, li mangiava uno di seguito all'altro, rapidissima, ruminandone ciascuno per non più di un paio di minuti – quanto per fermare le sue ispirazioni letterarie. Ma un racconto su carta da lettere?

Ti ho visto, ho visto le tue labbra rimanere schiuse abbastanza per accogliere un proiettile di piccolo calibro. Ti ho visto e ho saputo che desiderarti avrebbe significato la disperazione di non poterti avere, di conoscere la tua voce il tuo viso il tuo modo di appoggiare una mano sulla bocca – di conoscere alcune tue idee, perfino, ma non il tuo odore, non la posizione in cui dormi. Credi che io odi la mia disperazione, Uomo dell'Aria? E invece no. Perché io ne vivo, a meno che non sia morte anche questa.

L'avevo trovato casualmente, aprendo per sbaglio uno degli scatoloni di Sandra. Il camion dei traslochi se n'era andato già da una decina di giorni, ma la nostra casa era ancora piena di pacchi e mobili accatastati, tanto da parere vuota. Sandra, che doveva incontrare l'agente locale del suo editore, si stava facendo la doccia; e io, approfittando di una lieve febbre che mi consentiva di non andare in ufficio senza però togliermi completamente le forze, mi ero deciso infine ad aprire, svuotare e sistemare i miei scatoloni. Uno di quelli di Sandra era stato impilato fra i miei, e io l'avevo aperto senza neppure guardarlo, sicuro di trovarvi cose mie. Invece, quel foglio di carta da lettere, quelle parole.

La seconda arma è l'arte, ed è l'arma degli sconsiderati.

Ma forse era davvero una lettera. Dando un'occhiata nello scatolone, che prima non avevo guardato per il riserbo e il rispetto che sempre conservavo nei confronti di ciò che apparteneva a Sandra, mi resi conto che conteneva block notes, risme di fogli, quaderni ad anelli, buste di varie dimensioni, alcune confezioni di carta da lettere e oggettini inutili di cartoleria. Certo, era una lettera. Il che, in se stesso, non rappresentava nulla di strano. Sandra aveva molti corrispondenti, anche all'estero, e la sua avversione per telefoni e computer la portava a coltivare, con perseveranza e una sorta di fiero anacronismo, rapporti prettamente epistolari con non poche persone delle quali conoscevo a malapena i nomi. In due anni di matrimonio, avevo sempre cercato di (ed ero, credo, sempre riuscito a) non intromettermi in quelle amicizie a distanza: mi sembrava già sufficiente imporre a una donna come Sandra, a una scrittrice cui occorreva molta solitudine, la mia continua presenza.

Niente di strano, dunque, in una lettera. Strano era, però, che fosse lì, in quello scatolone. Sandra trascurava i suoi corrispondenti per settimane, a volte per mesi, ma quando decideva di sbrigare la sua posta era capace di passare alla scrivania giornate intere, finché non aveva chiuso l'ultima busta. Quella lettera, invece, Sandra l'aveva scritta in un'altra casa, addirittura in un'altra città, e poi l'aveva lasciata giacere lì, incompiuta o forse solamente *inspedita*, e giungere in una nuova città, in una nuova casa.

L'hai scritto in una tua canzone, Uomo dell'Aria, ed è l'arma che sai maneggiare meglio, o quella che ti interessa trovare, anche se il prezzo è camminare fuori fuoco, sul bordo dell'oltremondo.

Di strano, poi, c'era naturalmente il testo della lettera. Mi ero sempre guardato dallo sbirciare la corrispondenza di Sandra, ma dubito che le sue lettere incominciassero con un «Caro X, come stai?» Dubito per altro che incominciassero con frasi a effetto, "da scrittrice": sono ragionevolmente convinto che Sandra entrasse subito nel cuore del discorso, saltando i convenevoli. Con gli estranei sapeva usare una raffinata diplomazia, per non dire ipocrisia; ma con chi le stava a cuore era così diretta e immediata da sfiorare l'ingenuità.

Quella lettera usciva da ogni schema. Non incominciava con «Caro X»; ma incominciava con una frase a effetto. Come un racconto. Eppure ero sicuro non si trattasse di letteratura. E se ero nel giusto, se quella era una lettera e Sandra l'aveva iniziata con una frase a effetto – e inoltre l'aveva lasciata sedimentare, forse per rileggerla e correggerla, come un racconto –, se le cose stavano così, allora non c'era che una spiegazione: Sandra voleva fare colpo sul destinatario. Sull'Uomo dell'Aria.

Ma chi poteva essere, l'Uomo dell'Aria? Dal bagno, arrivavano lo scroscio della doccia e la voce di Sandra. Cantava, e mia moglie non cantava spesso: solo sotto la doccia, dove la cabina agiva come un riverbero amplificando la sua debole voce, e solo quando era euforica, esaltata dalla prospettiva di qualche avvenimento dell'immediato futuro che le riusciva particolarmente gradito. Potevo disturbarla con una domanda quasi sicuramente importuna, visto che fargliela avrebbe significato rivelare che avevo messo il naso nella sua corrispondenza? Non me la sentivo di incrinare la sua felicità, una felicità che oltretutto io avevo faticosamente favorito e, almeno in parte, contribuito a procurare.

Anch'io maneggio quest'arma, e chissà se l'ho trovata alla nascita o è stata un tuo dono. Perché è solo quando sono diventata tua fan che ho incominciato a scrivere. Leggere, certo, da sempre, per sempre. Ma scrivere?

La città in cui ci eravamo appena trasferiti era quella in cui fin dall'adolescenza Sandra sognava di vivere. Ci era stata in vacanza per la prima volta a diciassette anni, e se n'era innamorata. I casi della vita non le avevano permesso di stabilircisi, e quell'impossibilità le aveva logorato l'anima per anni. Poi ci eravamo conosciuti, innamorati, sposati. Il mio regalo di nozze era stato la promessa che, non appena fosse stato possibile, ci saremmo trasferiti nella città dei suoi sogni. Ci avevo messo due anni a mantenere la mia promessa, ma alla fine ce l'avevo fatta: la ditta nella quale ero dirigente aveva aperto una filiale proprio in quella città e io mi ero offerto di accollarmi l'ingrato compito di portarla a regime nel minor tempo possibile. Ne avevo ricavato un congruo aumento di stipendio e una congrua partecipazione finanziaria, da parte dell'azienda, a tutte le spese che il mio trasferimento comportava.

Così avevo seguito – attuato – il sogno di Sandra. Abbandonando un padre anziano, un paio di amici, qualche compagno di tennis e la città in cui affondavano le mie radici.

Prima, a volte schizzavo qualche goccia di inchiostro, qualche idea, qualche foglio. Occorrevi tu perché scrivere diventasse un'esigenza, sempre e per sempre.

Ora da una decina di giorni abitavamo nella città adorata da mia moglie, e lei continuava a cantare come quando le avevo annunciato che trasferirci era possibile. Come in quel momento: era uscita dalla doccia e, probabilmente, si stava vestendo dopo essersi spalmata un esiguo velo di crema idratante su tutto il corpo – odiava parecchie delle abitudini comunemente definite femminili: andare dal parrucchiere e dall'estetista, provare vestiti, darsi lo smalto, incremarsi – e continuava a cantare, perfino fuori dalla doccia. Potevo irrompere in camera da letto e domandarle di punto in bianco chi fosse l'Uomo dell'Aria?

Appunto. Chi *era*, quell'uomo? La lettera parlava di frasi che lui aveva non *detto*, ma *cantato*. Un cantante? Non conoscevo tutti gli amici di Sandra, né sapevo di ciascuno quale lavoro svolgesse o a quali hobby si dedicasse. Com'è ovvio, nei complessivi tre anni di vita comune io e Sandra ci eravamo costruiti delle amicizie di coppia: alcune in origine appartenevano a me, altre a lei, altre ancora erano nate in conseguenza del nostro essere in due: pragmatici, tiepidi rapporti con altre coppie che amavano giocare a tennis e grigliare il pesce. Ognuno di noi, però, e soprattutto lei, coltivava anche amicizie "in esclusiva", per così dire. Avevamo sempre tentato, e con successo, di lasciare all'altro spazi propri, magari segreti propri, e quindi amici propri. Di quegli amici che Sandra frequentava senza di me, qualcosa sapevo, qualcosa avevo sentito, naturalmente. Ma un cantante? Ero certo che mia moglie non aveva mai accennato a un amico cantante, ed ero certo che l'avrebbe fatto, se l'avesse avuto. Quella di cantante era una professione eccentrica perfino per lei, abituata a frequentare scrittori, intellettuali, registi e pittori anche, ma raramente musicisti. Del resto, il tono di quella lettera non era il tono che si usa con un amico: era poco confidenziale, eppure colmo di passione.

Una lettera a un cantante sconosciuto, sconosciuto e amato?

Negli anni, come accade a ogni coppia che resista allo scorrere del tempo, io e Sandra ci eravamo reciprocamente appropriati del passato dell'altro: io le avevo raccontato la mia infanzia, i miei sogni adolescenti, le mie aspirazioni deluse, e lei aveva fatto altrettanto. Una volta, tra le sue infatuazioni di ragazzina aveva annoverato anche quella per un cantante allora in voga: me ne aveva parlato fra altre leggerezze dell'età, e aveva concluso che l'infatuazione le era passata crescendo; tutto ciò che ne era rimasto era l'amore per le canzoni di quel cantante, anche quelle che aveva inciso una volta finito il periodo di successo commerciale. Poi Sandra aveva cambiato discorso, e il fatto che tra i suoi dischi ci fossero anche quelli del cantante del quale era stata infatuata non poteva ovviamente turbarmi. Né doveva; visto che, fra l'altro, non mi risultava che mia moglie ascoltasse quei dischi più degli altri. Infatti non ricordavo né l'aspetto né la voce di quell'uomo. Ma se l'Uomo dell'Aria non era lui, chi poteva essere?

Tu che non eri estemporaneo come un tramonto che cercavo di fotografare a penna, e il mio desiderio di te che non era estemporaneo, che era troppo – sì – disperato per esserlo.

Certo che era lui.

Non c'è cosa eterna che non sia scritta, e io ti ho scritto, Uomo dell'Aria, e scrivendo di te potevo averti, finalmente. Perfino non perderti. Potevo averti in mille modi, in mille storie da cui era esclusa una sola arma – la prima arma che uccide, Uomo dell'Aria: la delusione. Non mi deludevi mai, in nessun modo, in nessuna storia, e in ogni modo, in ogni storia, ti comportavi come avrei desiderato, come desideravo – come ti desideravo – e più ti desideravo più scrivevo, più scrivevo più ti desideravo, e sconfiggevo la seconda arma che uccide, Uomo dell'Aria: l'oblio.

Mia moglie aveva scritto una lettera colma di passione a un idolo del quale mi aveva detto d'essere stata infatuata circa quindici anni prima. Non aveva senso. Non avrebbe avuto senso nemmeno se avessi scoperto che quell'infatuazione durava ancora – durava da quindici anni. A meno che Sandra non lo avesse conosciuto, il cantante del quale era stata una fan, del quale era ancora una fan, in qualche modo. (Ma in quale?) Sì, forse lo aveva conosciuto. *Quanto* lo conosceva? l'aveva visto dal vivo in concerto, e magari era riuscita a parlargli dietro le quinte? faceva parte di una ristretta cerchia di fan che, episodicamente, aveva il privilegio di incontrarlo e parlargli per la durata di una festa, o dopo una trasmissione televisiva? ci andava a letto, ci era andata a letto in passato? No, Sandra aveva avuto diverse storie, alcune dolorose, alcune superflue, ma tutte normali. Si era sposata, *mi* aveva sposato. E soprattutto – ormai, quella mi pareva la testimonianza più probante – la lettera non documentava alcuna intimità. Se mia moglie aveva mai incontrato il cantante, si era trattato di incontri brevi, di formali scambi di convenevoli fra idolo e fan; se mia moglie aveva mai conosciuto il cantante, si trattava di una conoscenza superficiale. No. Se un senso, per quanto assurdo, quella lettera doveva averlo, era che Sandra, dopo quindici anni, nonostante quindici anni, voleva ancora quell'Uomo dell'Aria.

La terza arma è – qual è, Uomo dell'Aria? Non l'hai scritto, in una tua canzone, qual è la terza arma che non uccide. Eppure dev'esserci, ci sono sempre tre cose. Speranza, arte – e?

Arte. Sandra è una scrittrice. Affermata, adesso. Quando la conobbi, aveva pubblicato due romanzi che non avevano riscosso molto successo, né di pubblico né di critica. Lei non sembrava preoccuparsene. Considerava la scrittura un hobby, dunque era del tutto irrilevante vendere o non vendere. Ciò che davvero contava era trovare il tempo, materiale e mentale, per scrivere. Adesso che era arrivato il successo, sia di pubblico sia di critica, Sandra non aveva cambiato atteggiamento: vendere bene le regalava il colpevole privilegio di non lavorare, il colpevole privilegio di non lavorare le regalava il tempo materiale e mentale per dedicarsi al suo hobby. Cioè per scrivere.

Se è possibile comprendere i motivi per i quali ci si innamora di una persona, credo che mi fossi innamorato di lei anche perché non corrispondeva al mio stereotipo di scrittore: un orso bizzoso, assiduamente impegnato a millantare un dubbio talento piuttosto che a sudare sulle proprie carte. Sandra non riteneva di possedere un grande talento, e si dedicava alla scrittura con devozione e senza pregiudizi: caratteristiche che me la rendevano ancora più cara. Amavo dunque il modo in cui mia moglie considerava la scrittura, ma non posso dire che amassi il modo in cui scriveva. Quando l'avevo conosciuta, non sapevo neppure che i suoi due romanzi esistessero; e quando li avevo letti, lo avevo fatto più per corteggiare Sandra che per amore della lettura. Non sono mai stato un divoratore di libri: leggere mi piace, ma non abbastanza per trovare la volontà, nel turbine della vita adulta e professionale, di ritagliarmi del tempo per i libri, sottraendolo al tennis, alle cene in compagnia, al puro e semplice riposo. Conoscere Sandra significò applicarmi, leggere di più, poiché temevo di apparirle come uno zotico indegno del suo interesse. Ma quando mi fu chiaro non solo che Sandra nutriva per me dell'interesse, ma che non la toccava minimamente se leggessi oppure no – ne frequento abbastanza di gente che legge cento libri all'anno, mi diceva, quello che mi piace e *serve* di te è che sei la mia iniezione di realtà –, tornai alle mie abitudini di lettore pigro e saltuario.

La lettura dei romanzi che Sandra aveva scritto, però, era avvenuta prima che io scoprissi di interessarle. Non fu, è naturale, una lettura *pura*: leggevo perché mi piaceva l'autrice e perché speravo di piacere all'autrice, non perché mi piacessero i libri. L'importante era, beceramente, poterle dire «sai, ho letto i tuoi romanzi» e discuterne a ragion veduta. Meno beceramente, i suoi libri potevano fornirmi indizi su di lei: e quindi li lessi cercando di comprendere qualcosa di chi li aveva scritti, della sua vita, dei suoi pensieri, dei suoi gusti.

Avrebbero potuto fornirmi indizi anche su di lui, quei libri.

La terza arma è la solitudine, ed è l'arma degli eroi.

Ma io non avevo cercato che lei, nei suoi libri. Era stata una ricerca inquietante, perché mi sembrava di scoprire parallelamente due Sandre: quella che frequentavo nella quotidianità e quella che intuivo fra le pagine. Confrontavo quanto mi pareva di comprendere di lei attraverso le ore che passavamo insieme con quanto mi pareva di comprendere di lei attraverso i suoi romanzi, e a inquietarmi era soprattutto questo, che non sempre le due immagini coincidevano: ero io ad averne fraintesa una, o sul serio avevano delle discrepanze? E se quelle discrepanze esistevano, se Sandra era in qualche modo sdoppiata fra, diciamo, personalità reale e personalità letteraria, a quale delle due si sentiva più vicina, con quale coincideva maggiormente? L'immagine letteraria era ciò che avrebbe voluto essere, dunque una proiezione, o ciò che *non* avrebbe voluto essere, dunque una confessione? E io come potevo essere certo di capirla, quell'immagine letteraria, di non fraintenderla? Del resto: come potevo essere certo di capire e non fraintendere la sua immagine reale?

Un dubbio, appunto, inquietante, sul quale avrei potuto (o *dovuto*?) arrovellarmi per sempre. Ma Sandra si era innamorata di me, eravamo diventati una coppia, e questo aveva significato, per me, arrogarmi il presunto diritto di possederla. Di possedere il suo corpo, i suoi pensieri, i suoi sentimenti, e anche la chiave della sua personalità. Possederla aveva voluto dire addomesticarla: non nei fatti, ché non esisteva donna più indipendente di mia moglie, ma nella mia concezione di lei. Come la stessa Sandra ribadiva nelle interviste e alle conferenze, identificare personaggi e autori, biografie fittizie ed effettive, era un errore diffuso, ma pur sempre un errore. E io, avallato dal suo ammonimento, avevo recisamente separato l'universo dei suoi libri dall'universo che abitavo con lei. Sandra era solo ciò che si manifestava ai miei occhi, mentre i suoi libri erano finzione: inutile cercarla lì. Così, dopo i primi tempi, continuai a leggere quel che scriveva, ma – lo ammetto – più che altro per dovere coniugale. E giustificavo tanta indifferenza dicendomi che cercare correlazioni autobiografiche fra un autore e la sua produzione letteraria sarebbe stato da incolto, non da persona matura e tanto meno da marito.

Sei un eroe, Uomo dell'Aria? Ho sempre voluto crederlo, ed è così che ho scritto di te, sempre e da sempre. Eroe dei giorni normali e dei giorni intrepidi, eroe del mondo e dell'oltremondo, eroe mio e di altre fisionomie senza occhi fuori dal tuo cerchio di luce.

Sandra non cantava più. Probabilmente si stava truccando: un'altra occupazione femminile che compiva senza passione e approssimativamente, le rare volte che ci si dedicava.

Avevo smesso molto presto di cercare Sandra nella sua scrittura – era così comodo non farlo, così rassicurante –, figurarsi se ci avevo mai cercato lui, l'Uomo dell'Aria. Andai in salotto, dove gli scaffali erano stipati di libri e dischi, gli unici oggetti che Sandra si fosse preoccupata di togliere dagli scatoloni e di sistemare, ancor prima di abiti e asciugamani. Scartabellai fra i dischi. Eccoli, quelli del cantante: i più numerosi, con gli angoli dei libretti slabbrati dall'uso. Ecco il cantante. Cercai i libri di Sandra, li sfogliai rapido uno dopo l'altro per richiamarne alla memoria i contenuti, per ricordarne soprattutto i personaggi maschili. E a mano a mano che ricordavo quei personaggi, passando come un neutrino attraverso di loro e assumendone la carica fino a divenire un preciso concentrato di energia, il cantante mi si parò davanti. Protagonisti che ne avevano l'aspetto fisico, protagonisti che ne modulavano la voce, protagonisti come idee platoniche, protagonisti di un amore immoderato.

Nelle mie storie non eri solo, però. Eri con me. Ma le mie storie mentono. Su di me, più che su di te, e la solitudine è la mia – quella in cui mi confino dopo ogni uomo che ti ricorda senza assomigliarti, nei periodi di cene con gli amici e corsi di lingue. La solitudine è mia, quella di ascoltare la tua musica fingendo che tu stia cantando per me, quella di parlare di te fingendo razionalità e moderazione.

Lui. Io ero entrato negli ultimi due libri di Sandra nel consolatorio ruolo di dedicatario, lui ne era l'energia, in ogni libro, in ogni pagina, in ogni riga anche scritta su commissione. Lui.

La solitudine è mia – sono io l'eroe? Ma forse anche tu sei solo, Uomo dell'Aria, forse anche tu fai zapping perché è noioso seguire un intero programma senza commentarlo con qualcuno.

Il ticchettio dei suoi tacchi mi disse che Sandra era pronta e stava per uscire dalla camera da letto. Mi affrettai a rimettere a posto la lettera e presi ad armeggiare intorno a uno dei miei scatoloni, estraendone il contenuto senza vedere in che cosa consistesse. Né io né Sandra avevamo mai fatto zapping, insieme. Posto che avessimo fatto alcunché. Sandra arrivò. Si era truccata molto, per essere lei – kajal, mascara, rossetto – ed era vestita casual e sexy. Al meglio di se stessa, e non potei evitare di domandarmi se l'appuntamento ce l'avesse proprio con l'agente locale del suo editore. Io vado, mi annunciò mentre si indaffarava intorno ai suoi scatoloni, non ho idea di quanto ci metterò. Finalmente trovò lo scatolone che cercava, *quello* scatolone, e ne estrasse una lettera, *quella* lettera. Non sapevo se ringraziare il cielo che non si fosse domandata perché lo scatolone era aperto o se maledire il cielo perché era distratta da quella lettera al punto di non accorgersi che era aperto. Rilesse la lettera, in piedi in mezzo alla stanza, senza che emozioni particolari le attraversassero il viso. Poi mi guardò, mi sorrise. Lo sai com'è, disse, e aveva già smesso di guardarmi e sorridermi per chinarsi nuovamente sullo scatolone, con 'sti agenti puoi metterci cinque minuti o cinque ore, voglio dire, mi riassumerà in un attimo come intende muoversi con il nuovo libro oppure sarà uno di quelli che ci tengono a fare amicizia e ti offrono un caffè che ti porta via il pomeriggio?

La guardai risollevarsi con una busta in mano. Non risposi, anche se in cuor mio avevo l'impressione che sarebbe stato un caffè lungo quanto il pomeriggio. Sandra si guardava intorno. Hai visto una penna da qualche parte? mi domandò. Lasciai perdere il mio scatolone e mi diedi a cercarle una penna. Avrei potuto domandarle per chi fosse quella lettera, con il tono più casuale che avessi trovato, e non l'avrei insospettita. Qualcosa mi avrebbe risposto, e il *cosa* probabilmente meritava che le ponessi quella domanda. Ma restai in silenzio, e le porsi una biro.

E se rispondessi a questa lettera, se rispondessi, Uomo dell'Aria – che succederebbe, che mi succederebbe, che ti succederebbe, se rispondessi?

Sandra si appoggiò su un tavolo; trafficava come se io non ci fossi, e aveva ragione: non era, non *ero* sempre stato così? Rispettoso, *orgoglioso* della sua privacy, discreto fino a sembrare distaccato – o solamente stupido. Stavolta, però, la spiai, quasi meravigliandomi della soddisfazione che provavo nel constatare quanto fosse semplice spiarla, dopo tre anni in cui le avevo permesso di fare ogni cosa come se io non ci fossi, anzi, proprio perché non c'ero. Un marito che non aveva neanche il merito di rientrare fra gli uomini che ricordavano, pur senza assomigliargli, l'Uomo dell'Aria. Sandra infilò la lettera nella busta, che chiuse come si chiudono i biglietti d'auguri, senza incollarla. Non scrisse il mittente, e come destinatario segnò «All'Uomo dell'Aria». Nessun indirizzo. Poi si raddrizzò, raccattò la borsa sul sécretaire accanto alla porta di casa e mi salutò come sempre, con la mano, quasi fossimo troppo distanti per sentirci. Uscì.

Potrei perdere la solitudine, e l'arte. Potrei acquistare la speranza, ed essere folle. Risponderai, Uomo dell'Aria? No, non risponderai, come non hai mai risposto.

Fu un caffè lungo quanto un pomeriggio. Sandra tornò a sera, piuttosto tesa. Per giustificare la sua tensione, disse che l'agente locale del suo editore era un uomo sgradevolmente cerimonioso, e che le aveva fatto sprecare ore su ore concludendo poco e niente. La lettera non l'aveva più, nemmeno in borsa, come controllai mentre lei si spogliava in camera da letto.

Quella sera restammo a casa e ci coricammo abbastanza presto. Non facemmo l'amore, e mi domandai se il suo fosse davvero timore di peggiorare la mia influenza.

Perché tu non mi deluda, perché io non ti dimen-
tichi –

Il giorno dopo, i telegiornali diedero la notizia che
il cantante era morto. Dissero che si era suicidato in
casa sua – casa che si trovava nella città dove Sandra e io ci eravamo trasferiti da poco – e ne cerca-
rono la causa nella fatica di un'esistenza che aveva
conosciuto e perso il successo troppo presto e troppo in fretta. Sandra, più che turbata dalla notizia,
parve molto dispiaciuta, e non esitò a confidarmelo:
colui che era morto, e morto così tristemente, era
pur sempre l'idolo della sua adolescenza. Ma disse
anche che quel suicidio non la coglieva di sorpresa,
poiché negli ultimi dischi del cantante affiorava sempre più spesso un'irrecuperabile disperazione.
Tra gli effetti del cantante non fu trovata alcuna
lettera.

e perché la terza arma che uccide, lo sai qual è la
terza arma che uccide, Uomo dell'Aria?

In capo a poche settimane, Sandra mi chiese il
divorzio. Non domandai spiegazioni e lei non me ne
diede, a meno che non si consideri come una spiegazione l'unico motivo che nominò: ovvero che,
come iniezione di realtà, non le servivo più. Non
domandai spiegazioni, non protestai, non tentai di
farla tornare sulla sua decisione, né le feci ricatti
morali o scenate: raccolsi alcuni abiti e documenti
indispensabili alla sopravvivenza quotidiana e al

lavoro e presi una stanza in albergo. Circa un mese dopo tornai nella città in cui affondavano le mie radici. È ancora qui che vivo oggi. Il padre anziano non c'è più, ma ho recuperato amici, compagni di tennis e perfino un lavoro, sebbene al momento della separazione fossi stato costretto a lasciare quello che avevo. Sandra continua a vivere nella città dei suoi sogni, anche se ha traslocato: un paio di mesi dopo la morte del cantante, ne acquistò l'appartamento. Non ho motivi per pensare che non viva lì, o che abbia sostituito quei mobili non suoi con altri. Per quanto mi è dato sapere, non ha un compagno. Io convivo con la mia segretaria. Scrive lettere esclusivamente di lavoro al computer, legge romanzi d'azione e non ha spiccate preferenze musicali.

Credo.

La terza arma è l'amore, da sempre,

per sempre, Sputafuoco.

VENTO

Trilogia delle fiabe non raccontate

Geppetto che dormì nella balena

Hanno scritto che era un pescecane, un mostro marino. Mentivano. Si trattava di una balena, placida e sinuosa. Io finii nel suo ventre – e in questo caso è vero ciò che hanno raccontato – mentre cercavo mio figlio. Non sono sicuro che desiderasse essere trovato, anzi, immagino che a quel tempo non volesse altro che la solitudine della libertà, eppure io lo cercavo. Ero suo padre, lo amavo, e quell'amore giustificava magnificamente il mio timore di vivere: dicevo a me stesso che, se esistere mi spaventava, era perché esistere senza mio figlio sarebbe stato insostenibile. Non era vero. Ero stato un povero falegname da sempre, addirittura dall'infanzia, e, nonostante avessi appreso il mestiere così presto, non divenni mai molto bravo. In realtà coltivavo una certa maestria di intagliatore, e realizzavo cornici decorate e burattini per i bambini del villaggio; non osavo però trasformare quel passatempo in un'occupazione ed esporre le mie opere migliori in bottega, agli occhi dei clienti. Preferivo alienarmi i complimenti pur di non ascoltare le critiche, e continuavo a segare gambe di sedie sghembe e a piallare piani di tavoli consunti.

Poi mi nacque un figlio. Mi nacque che ero quasi vecchio, e dovetti crescerlo senza madre né denaro. Potevo però offrirgli tutto me stesso: quale miglior scusa per ritirarmi dalla vita che dare precedenza assoluta a mio figlio? Ma i figli non sono riconoscenti ai padri per i loro sacrifici. Come se, dalla nascita, sapessero che non si tratta di sacrifici, ma di paraventi dietro cui celare desideri di rivalsa per interposta persona. Mio figlio sembrava saperlo meglio di tutti gli altri. Incominciò a scappare di casa non appena fu in grado di reggersi sulle gambe, e io incominciai a rincorrerlo, a toglierlo dai guai, a sottrarlo ai pericoli. Ma non mi riusciva di scansargli la vita bene come riuscivo a scansarla io. E il paradosso era che, per non esporre ai pericoli lui, mi ci esponevo io. Senza saperli parare.

Venditori di fumo, saltimbanchi da quattro soldi, truffatori da sbarco. Mio figlio si lasciava affascinare da chiunque, sedurre da chiunque, gabbare da chiunque; allora veniva il mio turno: smascheravo l'imbroglio, riportavo mio figlio a casa e riprendevo la vita di prima, un po' peggio di prima. Perché non sapevo mai assicurare quelle faine alla legge, né evitare di rimetterci del mio, e da ogni disavventura uscivo più povero e pesto; e perché mio figlio non mi perdonava di mettere a nudo i suoi errori: avrebbe preferito mille volte essere imbrogliato, piuttosto che scoperto nella sua ingenuità da un uomo insulso come suo padre.

Alla fine fuggì sul serio. E io lo seguii, come sempre. Era mio figlio: al di sotto delle mie aspettative, come io ero stato al di sotto delle aspettative di mio padre, come io ero al di sotto delle sue aspettative, ma era mio figlio e lo seguii, senza farmi domande sul perché mi ostinassi ancora in quella gara alla supremazia con lui. Dovetti viaggiare a lungo: l'irrequietezza pareva essere cresciuta in mio figlio insieme ai suoi anni, e lo aveva strappato a decine di luoghi, di storie, di persone. Anch'io mi ero strappato al mio luogo, alla mia storia, alle poche persone che ne facevano parte. E a mano a mano che trascorrevano i giorni e le leghe di viaggio, mi rendevo conto che quello strappo mi faceva bene. Non mi mancava il lavoro, né il villaggio. L'avere uno scopo nobile e forte come quello di ritrovare mio figlio mi aiutava a contenere la paura degli imprevisti, e intanto assaporavo la solitudine della libertà. Finalmente, proprio ora che gli ero così lontano e forse per sempre, mi sentivo vicino a mio figlio, abbastanza da comprenderlo; tanto che ormai, se desideravo trovarlo, era per dirgli che lo capivo, e che non lo avrei più trattenuto con le mie regole insipide o coi miei goffi tentativi di proteggerlo. Lo avrei lasciato andare e avrei proseguito il mio viaggio alla ricerca della sola cosa di cui avvertivo il bisogno: un posto, un posto mio dove la solitudine della libertà non si trasformasse in paura degli spazi aperti.

Mio malgrado, trovai il mio posto prima di trovare mio figlio.

Nell'ultimo villaggio in cui era rimasta traccia di lui, mi avevano detto che probabilmente si era imbarcato su un galeone per recarsi al di là del mare; poiché le vele della nave ancora si scorgevano all'orizzonte, affittai una barchetta e con quella presi il mare, al fine di raggiungere il galeone. Ma non ero a metà strada che, improvvisa, si levò una tempesta. Governare la mia barchetta si rivelò ben presto un'impresa disperata; lo stesso galeone pareva in balia del mare, e quando lo vidi divorato da un'onda nera e immensa come l'ala del diavolo, compresi che non c'era nulla da fare: anch'io sarei stato divorato. Smisi di tentare di governare la mia barchetta e sedetti in attesa. Tranquillo, straordinariamente rappacificato.

Poi un'onda rovesciò la barchetta; e mentre cadevo in acqua, mi parve di scorgere mio figlio laggiù, lontano sulla spiaggia che avevo abbandonato per lui, che si sbracciava verso di me.

Quando ripresi i sensi, la prima percezione che mi colpì, con la forza di un pugnale, fu l'odore. Era un odore che conoscevo, anche se non ero certo di averlo mai sentito. Un odore caldo, così caldo da farsi puzzo, eppure non sgradevole, umido e organico. Un odore che conoscevo perché era quello che avevo dentro anch'io, realizzai; l'odore della digestione, della respirazione, del flusso sanguigno e dell'ossigeno e degli escrementi e di tutto ciò che ci riempie e rende vivi. Quel puzzo mi fece sentire immediatamente al sicuro.

La seconda percezione fu il buio: un buio totale, immane, a cui non ci si poteva abituare. Un buio così perfetto che il posto in cui ero avrebbe anche potuto essere immenso, ma a me dava l'impressione d'essere striminzito, stretto come una gola. Una gola senza pareti, però, e in quel buio che mi privava dell'equilibrio avanzavo a stento, carponi.

La terza percezione fu il movimento. Ciò su cui, *in* cui mi appoggiavo e spostavo si muoveva, e si muoveva con un ritmo. Non impiegai troppo tempo a comprendere che quel ritmo era respiro, e che ciò che si muoveva era un essere vivente. Dunque mi trovavo, io vivo, in qualcuno che a sua volta viveva, e viveva in mare. Mi trovavo in un pesce, vivo nelle oscurità dei suoi organi, vivo nelle sue interiora. In pericolo mortale? o al sicuro quanto non ero mai stato?

Mi accorsi allora di qualcosa che avrebbe dovuto essermi evidente dal primo istante, ovvero che avanzavo nell'acqua. Acqua salata, bassa, tiepida, che mi accarezzava in onde deboli e lente. A un tratto, l'acqua scappò via in un risucchio, venne sfiatata all'esterno del pesce. No, non del pesce: della balena. Poco dopo, l'acqua di nuovo tornò, sempre in onde deboli e lente che non superavano l'altezza delle mie caviglie; e di nuovo venne risucchiata e sfiatata all'esterno, e poi ancora tornò, ritmica come il respiro della mia ospite.

Ero in pericolo o al sicuro? Ero al sicuro: in quel buio, in quell'umido avevo trovato il mio posto. Camminai ancora un poco carponi, finché, su un lato, non palpai una morbida escrescenza. Mi ci accovacciai come fosse un materasso e, con l'acqua tiepida che mi faceva da coperta, mi addormentai.

Parte del galeone era stata anch'essa inghiottita dalla balena. Che cosa ne fosse stato dell'equipaggio, non sapevo: forse si era salvato fuggendo su qualche canotto. Io comunque non vidi alcun essere umano. Trovai invece derrate di cibo, bauli colmi di oggetti, candele, coperte, perfino dei mobili: così che potei organizzarmi una sorta di stanzetta nel ventre della balena. Sistemai un tavolino e una sedia, organizzai una dispensa, disposi sul tavolino e accanto alla dispensa due candelabri. Per quanto il tempo fosse rimasto fuori di lì, organizzai anche dei modi per trascorrere quelle che dovevano essere le ore: con strumenti di fortuna, ripresi a intagliare cornici e burattini; e, avendo trovato carta e calamai in abbondanza, iniziai a scrivere storie in cui raccontavo chi non ero stato, ciò che non avevo fatto, o quel che non avevo visto né sapevo.
A volte, quando la balena dormiva a pelo dell'acqua, ne scalavo la gola e mi affacciavo oltre la ringhiera dei fanoni: guardavo la luna, guardavo il mare. Laggiù, oltre l'orizzonte, doveva esserci la terra degli uomini. Desideravo tornare fra loro? No. Mi capitava, però, di sentirne una blanda nostalgia; in quei momenti, allora, mi ritraevo, scendevo fino all'escrescenza morbida che era diventata il mio letto e lì, avvolto nella mia coperta d'acqua, cullato dal respiro della balena, dormivo. Dormivo.

Poi successe.

Ero al mio tavolo e stavo scrivendo; come sempre, l'acqua espulsa e ringoiata dalla balena ritmava le ore. A un tratto ci fu uno sciabordio fuori tempo, come se la mia ospite avesse ingollato troppa acqua e troppo in fretta, e infatti di lì a un attimo mi investì le gambe un fiotto più alto e irruento del normale. Non mi allarmai: la balena doveva aver inghiottito un pesce o un oggetto. Ripresi a scrivere. Mi interruppi quasi subito: un respiro affannoso. I movimenti scomposti di un essere umano che cerca l'equilibrio nel buio. Un gemito, un gemito che mi rimandava a una voce nota. E quella voce nota che chiamava, o forse solo singhiozzava per la paura: papà. Papà.

Mio figlio mi aveva trovato.

Ora avrei dovuto alzarmi, andargli incontro, abbracciarlo, rassicurarlo, condurlo alla mia stanzetta, rifocillarlo, raccontargli com'ero sopravvissuto nel ventre della balena, offrirgli il mio letto perché riposasse. E quando si fosse svegliato? Avrebbe voluto andarsene, e probabilmente avrebbe voluto che io me ne andassi con lui: se non altro, per dare un senso alla ricerca che lo aveva portato fin lì, dopo chissà quali pericoli. Lo avrei seguito? Certo avrei dovuto, così come lui aveva dovuto seguirmi ogni volta che lo ripescavo dopo che era scappato. Avrei scalato per l'ultima volta la gola della balena, avrei scavalcato la fila di fanoni e mi sarei tuffato in mare. Mio figlio avrebbe insistito per reggermi sulle sue spalle; io non avrei potuto che accettare, accettare di lasciarmi guidare a riva e nella vita, d'ora in poi.

Sentivo mio figlio avanzare carponi nell'acqua bassa. D'istinto, spensi le candele e mi ritrassi nel buio, respirando con la balena per non farmi udire. Poi, ecco di nuovo il suo richiamo, o il suo singhiozzo: papà. Papà. Allora accesi una candela e gli andai incontro, lo abbracciai, lo rassicurai, lo condussi alla mia stanzetta, lo rifocillai, gli raccontai com'ero sopravvissuto nel ventre della balena, gli offrii il mio letto perché riposasse. E lo guardai dormire.

figlio mio, tua è la luce maestosa degli spazi aperti, tua la gioventù che io ho abbandonato da troppo tempo perfino per ricordare come e quando è avvenuto il distacco, io preferisco queste tenebre umide che preannunciano la mia destinazione finale, ma tu mi chiedi di sfidare le onde con motivazioni giuste e razionali, figlio mio, tu mi dici che le mie candele sono troppo corte e il mio cibo troppo scarso per non morire, solo che se mi tuffo nel mare, se mi tuffo nel mondo morirò lo stesso, perché una dilazione non è la salvezza, figlio mio, e allora lasciami a questo buio che mi annulla, a questo respiro che mi culla, lasciami riposare in questo ventre che mi ha accolto, in questo grembo che mi ha avvolto, figlio mio, il tuo abbraccio è vigoroso e suadente, ma quale abbraccio potrei desiderare io più del mare, tuffati tu e cerca l'amore di una donna che ti dia figli ribelli e sfrontati e lasciami qui, lasciami dormire, lasciami dormire nella mia balena, figlio mio

Mio figlio non volle saperne, naturalmente, e io naturalmente gli diedi retta. Io ero vecchio, lui era giovane, io ero debole, lui era forte, io avevo bisogni, lui aveva ragioni: scalammo la gola della balena, scavalcammo la ringhiera di fanoni. Mio figlio mi ordinò col tono di un invito di salirgli in spalla: in salvo mi avrebbe condotto lui, d'ora in poi avrebbe pensato a tutto lui. Gli montai in spalla, e i nostri ruoli furono invertiti per sempre.

Quello che accade dopo, è storia nota: mio figlio, da monello scapestrato, divenne assennato e laborioso e sposò una ragazza che mi riservava una insofferente pazienza, dalla quale ebbe due figli; si amarono per alcuni anni e si sopportarono per quelli successivi, mentre i figli gli crescevano ribelli e sfrontati.

Di me, mio figlio si occupò con l'autorità del suo affetto: riaprì la mia bottega, mi diede la possibilità di intagliare cornici e costruire burattini e, quando le mie mani furono troppo approssimative per lavorare, mi assicurò una pensione.

Finché un giorno il mio odore interiore, lo stesso lezzo che mi aveva accolto nella balena, divenne così forte da esalarmi dalla bocca. Allora chiesi a mio figlio di portarmi al mare, e lui non seppe negare quel favore a un morente. Partimmo; durante il viaggio, mi chiesi se avrei ritrovato la mia balena, e se lei mi avrebbe riconosciuto, e se in qualche modo avesse avvertito la mia presenza dentro di sé, prima, e la mia mancanza, poi. Alla prima domanda ebbi presto risposta: la balena era sulla spiaggia, arenata, in fin di vita. Non so però se mi riconobbe, e neppure se mi vide. Con la scusa che desideravo restare solo per un po', congedai mio figlio; non appena si fu allontanato, entrai nella balena.

Scesi lungo la sua lingua, arrivai fino a quella che era stata la mia stanzetta. Trovai ancora alcuni mozziconi di candela, alcune pergamene miracolosamente intatte. Proseguii fino all'escrescenza che mi aveva fatto da letto. La coperta d'acqua non c'era più, non c'era più acqua in assoluto, e il ventre della balena si stava seccando. Ma era ancora il mio posto, morbido e tiepido. Mi raggomitolai sull'escrescenza e, per l'ultima definitiva volta, dormii nella balena.

Campi di fragole
(Un'ordinaria storia d'amore)

Non era brutta, anzi, era carina, e questo la rendeva piuttosto ordinaria. Anche il suo nome era ordinario, abbastanza perché non valga la pena di ricordarlo qui.

Altrettanto ordinaria, nell'aspetto e nel nome, era Sorella: se alcune versioni della fiaba le hanno definite entrambe brutte, è stato solamente per dare risalto alla bellezza di Sorellastra. In realtà, Sorellastra non era bella. A osservarla spassionatamente, aveva molte più imperfezioni di quante non ne contassero le altre due ragazze: aveva naso lungo, cosce forti, piedi ridicolmente piccoli, e un generale aspetto grossolano. Coltivava però una sorta di savoirfaire; soprattutto con i maschi. I mezzi cui ricorreva per sedurre, si rendeva conto Lei, erano fisici, quasi primitivi, però funzionavano; e, datosi che funzionavano, non importava poi tanto che fossero mezzucci.

Lei quei mezzucci non sapeva usarli, anche se avrebbe voluto che il suo genuino odio per essi e per chi ne era vittima bastasse a giustificare la sua incapacità di ricorrervi, o a camuffarla da libera scelta. E mentre Sorella, che condivideva quell'incapacità, si fortificava frequentando amiche che le erano tutte sapientemente inferiori, Lei legava e aveva sempre legato con chi le era superiore in bellezza, intelligenza, fascino. Sapeva che non si trattava né s'era mai trattato di una casualità, e sapeva perfino il motivo delle sue preferenze: stare con ragazze destinate ad avere più successo di lei offriva una scusante ai suoi fallimenti: io sono stata brava, poteva sempre dirsi dopo ogni rovescio di fortuna, non ho sbagliato in nulla, ma come potevo competere. In quel modo, era sempre riuscita a giustificare il suo eterno secondo posto. Carina e non bella, intelligente e non geniale, interessante e non carismatica. Ordinaria. Per questo andava abbastanza d'accordo con Sorellastra, al contrario di Sorella che non le rivolgeva quasi parola: il fascino dell'altra scusava pienamente gli anni che sterili le passavano sopra.

Chi più detestava Sorellastra comunque era Madre, la quale incolpava la figliastra d'ogni insuccesso delle sue figlie: sapeva bene quanto le doti delle due ragazze fossero inutili di fronte all'avvenenza di quella che, ai suoi occhi, restava pur sempre una cafona arricchita. Non era quindi un caso se a Capitale si mormorava fosse stato l'odio di Madre a relegare Sorellastra ai lavori domestici, ma non era del tutto esatto. Sorellastra, terminate le scuole obbligatorie, non aveva voluto proseguire gli studi, e del resto nessuno in famiglia aveva insistito; nemmeno Padre, che allora era ancora vivo: proprio non era portata. Però non s'impegnava in nulla, trascorreva le giornate a passeggio con le amiche, sperperando patrimoni in abiti: in pochi anni, sarebbe stata capace di portare la famiglia alla rovina. Era stata una fortuna che Madre le avesse trovato un ruolo, per quanto umile; tra l'altro, a Sorellastra non dispiaceva occuparsi delle pulizie e della cucina: le lasciavano la mente sgombra e poteva fantasticare su questo o quel ragazzo.

Lei fantasticava su un solo ragazzo. Uno che non avrebbe mai avuto: come s'era sempre scelta amiche con le quali non poteva competere, così s'era sempre infatuata di ragazzi con i quali non poteva avere una relazione stabile. Troppo giovani, troppo vecchi, troppo ricchi, troppo poveri; forestieri di passaggio, diplomatici in partenza per le Indie, gitani diretti chissà dove dopo aver dato spettacolo per una settimana in piazza e a corte. Con costoro, Lei imbastiva preliminari di rapporti più che rapporti, innamoramenti più che amori, ma se quelle effimere unioni le riuscivano così gradite non era tanto perché le trovasse eccitanti, quanto perché le risultavano indolori: la fugace irrealtà della storia d'amore, la sua inconcludenza, il suo essere a termine le risparmiavano la delusione e l'abbandono, non solo la noia. Le risparmiavano il fallimento: come poteva fallire, una storia che prediligeva quella dimensione in cui Lei poteva contare su un nome e un aspetto non ordinari e dove non era l'eterna seconda, la dimensione della possibilità?

Anche quel ragazzo rientrava nella schiera degli

inafferrabili, anzi, probabilmente era il più inafferrabile di tutti: era l'erede al trono.

Lei non vedeva Principe molto spesso, soltanto quando Re dava un pranzo o un ballo o uno spettacolo a cui invitava anche la nobiltà minore, quella che non viveva a corte, e i maggiorenti di Capitale. Madre, Sorella e Lei partecipavano puntualmente a quelle che erano fra le poche occasioni mondane offerte dal Regno. Sorellastra restava a casa; partecipare le sarebbe piaciuto, eccome, ma aveva maniere troppo rozze perché Madre le consentisse di metterla in imbarazzo. Una scusa così solida doveva dare soddisfazione a Madre e Sorella; Lei, invece, non provava soddisfazione alcuna. Tranquillità, piuttosto: sapeva che, se avesse partecipato a quelle occasioni, Sorellastra sarebbe riuscita a incantare gli uomini presenti nonostante le maniere rozze, quindi era un bene che non ci fosse. E se Sorellastra mancava, Lei poteva cercare l'attenzione di Principe.

La trovava spesso.

Principe non era bello, sebbene i poeti di corte non facessero che tessere lodi alla sua prestanza fisica; ma aveva occhi che bruciavano, tutto di lui bruciava, e a stargli accanto Lei si sentiva lambita dalle fiamme, divisa fra la paura di scottarsi e l'attrazione per il calore del fuoco. A quei pranzi, quei balli, quegli spettacoli, lui partecipava a distanza, con un velo di educazione a incipriargli la noia; e quando anche la buona creanza incominciava a scrostarsi, allora Principe cercava Lei. E Lei, che non aveva aspettato altro momento, che non era lì se non per quel momento, si abbandonava alla sua voce, tentava di essere la conversatrice salace che lui meritava, e finalmente, o forse purtroppo, le ore si scioglievano rapide, straordinarie com'erano straordinarie le premure che Principe le riservava. Straordinarie, eppure non v'era nulla di più reale e concreto.

Finché non arrivò *quel* ballo.

Che fosse speciale lo sapevano tutti. Era ora che Principe prendesse moglie, lo voleva Re e lo voleva l'etichetta; perciò tutti – tutte – sapevano che non tanto di un ballo si trattava, quanto di un mercato dove Principe sarebbe stato invitato, o costretto, a scegliere la merce migliore.

Lei avrebbe preferito non andarci. Era consapevole di non poter essere la merce di fronte alla quale Principe si sarebbe fermato, ma ciò che avrebbe reso insopportabile vederlo scegliere un'altra era la piccola speranza che le infuriava dentro, la speranza di sbagliarsi. Solo che Madre non volle sentire ragioni: aveva due figlie in età da marito, graziose, istruite, educate, due possibilità di elevare il suo rango, e Lei si ritrovò in carrozza prima e nel gelido salone da ballo del castello poi, merce fra la merce, esposta all'esame di dignitari e funzionari, esposta all'esame di Principe; e stava sperando che lui le risparmiasse almeno questo, che almeno non la valutasse, quando accadde ciò che era destinato a rendere speciale il ballo e tramandabile la fiaba: entrò Sorellastra. Allora non è così stupida, ammise Lei, non se è riuscita a organizzare in segreto la sua partecipazione e a trovare un vestito – bello, per di più. No, non era stupida affatto; e i suoi mezzucci erano arti, arti di seduzione e conquista. Arti come i raffinati mestieri di una cortigiana, arti come le morbide braccia che chiusero Principe in una stretta molto più significativa di un valzer. E Lei, fin da quel primo valzer, capì chi sarebbe stata la sposa di Principe, chi avrebbe avuto la spaventosa, meravigliosa opportunità di bruciare con lui.

Negli anni a seguire, lo vide raramente: solo quando la buona creanza imponeva un incontro con la coppia.

Sorella si era sposata e viveva in un'altra città. Lei, invece, era la rassegnazione di Madre, che ormai non tentava neanche più di presentarle possibili pretendenti. Non che Lei vivesse nel rimpianto di Principe. Semplicemente, era tornata ai preliminari e agli innamoramenti, a quelle effimere unioni indolori di cui poco o nulla le importava. Le importava ancora di Principe? Preferiva non domandarselo, e pensare a lui come a un uomo qualunque: non lo era, forse, chi aveva ceduto alle banali lusinghe di Sorellastra? Non era forse un uomo come tutti gli altri, intercambiabile e dunque invisibile, ordinario – sì – anche lui? Eppure c'era ancora qualcosa che le infuriava dentro. Non la speranza, no, anche se permaneva il sogno che il matrimonio naufragasse. Ciò che le infuriava dentro era la consapevolezza che, per quanto ordinario, Principe era l'uomo che Lei avrebbe voluto.

Poi il sogno si realizzò, spalancando come una bufera di scandalo tutte le finestre del Regno: Principe e Sorellastra si erano separati e, poiché il divorzio non era ammesso, Re aveva dovuto scacciare il primogenito e nominare erede al trono il figlio minore. Dove fosse andato Principe, nessuno sapeva; e l'ormai ex principessa si limitò a far sapere alla famiglia d'essersi trasferita all'estero, in una città dove avrebbe potuto camminare per strada senza tenere gli occhi bassi e dove il gruzzolo – per altro cospicuo – ricevuto da Re affinché mantenesse il più stretto riserbo sulla faccenda le avrebbe permesso di vivere bene. Sui motivi della separazione, non una parola.

E mentre Madre si dannava l'anima per il disonore che, riserbo più o meno stretto, si sarebbe comunque riversato sulla famiglia, Lei si domandava perché fosse finita. Era stata Sorellastra a stancarsi di Principe? Ma non si sarebbe certo stancata del ruolo di regina. Allora era stato lui a dire basta? Ma non avrebbe certo rinunciato al trono. Comunque, era finita. Madre studiava il modo più elegante di prendere pubblicamente le distanze dalla figliastra, Sorella scriveva consigli su come comportarsi e Lei continuava a pensare, e quello a cui pensava più spesso era dove potesse essere Principe. E dio, dio, se solo si fosse fatto vivo.

Si fece vivo. A un paio di mesi dalla bufera. Le scrisse dalla Contrada, ai confini del Regno: Re aveva avuto la pietà di dargliene la giurisdizione. Così, in un villaggio di bifolchi dalla pelle dura, lui aveva incominciato una nuova vita con un nuovo ruolo, nuove conoscenze (nuove donne?), una nuova casa. Però gli sarebbe piaciuto mantenere qualche legame con il suo vecchio mondo; con Lei.

Lei gli rispose, naturalmente. Avrebbe voluto chiedergli se era per avere notizie della sua ex moglie che le scriveva, avrebbe voluto sapere come si fossero svolti i fatti, e se lui amava ancora Sorellastra, ma non gli domandò nulla: meglio evitare risposte cortesi e forse false. Perciò gli scrisse solamente che sì, sarebbe stato un piacere restare in contatto con lui; e da quel momento iniziarono a scambiarsi lettere con regolarità.

Lei era felice, adesso. Principe si rivelò un corrispondente puntuale e affettuoso; a volte, pareva addirittura che la corteggiasse, e com'era facile ricorrere a quei mezzucci per scritto, avendo modo di riflettere e correggere. Anzi, per lettera i mezzucci diventavano più sottili e raffinati, più consoni all'immagine che Lei voleva avere e dare di se stessa, per cui non le riusciva nemmeno troppo complicato ricorrervi, e più li impiegava più le sembrava d'essere affascinante, più si sentiva affascinante meglio sapeva ricorrere ai mezzucci. Principe apprezzava la sua ironia, la sua arguzia, la sua cultura: quello che gli uomini avevano voluto ignorare di Lei, quello che Sorellastra non aveva dovuto sfoggiare per conquistare un maschio. Neppure Principe.

Di carestie, non le era successo di viverne: l'ultima si era abbattuta sul Regno quando Lei era troppo piccola per accorgersene. Ora ritornavano: la fame, la terra che si rapprendeva come pelle vizza, i mendicanti, le code al forno del pane, il mercato nero, l'esodo dalle campagne. Lei se ne accorgeva, adesso ch'era grande abbastanza, ma era troppo ricca perché la carestia fosse un problema del suo quotidiano; e se riusciva a sentirla sulla pelle, lo doveva alle lettere di Principe: lui le scriveva dei contadini che gli chiedevano aiuti e risarcimenti come se fosse dio, a volte il dio che poteva salvarli, a volte il dio che li aveva condannati; le giornate gli passavano tra file di questuanti, mani tese, ispezioni ai campi, consulti con scienziati e maghi. Il suo umore era, quello sì, una nube scura da cui non si riusciva a spremere pioggia.

E in quelle lettere, mentre la carestia devastava colture ed esistenze, Lei decise di leggere un appello, e non importava se ci fosse realmente: ciò che importava era che, per una volta e per lui, Lei sentiva che valeva la pena di scegliere, di scegliere perfino la fame. Sempre che non fosse stata fame quella di cui aveva sofferto fino a quel giorno.

Quando arrivò, Principe la accolse con calore, eppure entrambi quasi si stupirono di come mancasse loro la confidenza, nonostante tutte le lettere che s'erano scambiati. Il primo giorno lo passarono visitando la Contrada: lui le illustrava i problemi che c'erano e le soluzioni che non c'erano e Lei lo ascoltava con attenzione, sebbene non fossero quelli gli argomenti che le premevano davvero; lo ascoltava e si ascoltava, soprattutto si sentiva, si sentiva bruciare di nuovo, sentiva il fuoco che promanava da lui lambirle le vesti e accartocciarle la pelle come fosse pergamena, ridurla in cenere. Il secondo giorno lo passarono ancora in visita. Principe aveva un umore più sollevato e allegro, e Lei non avrebbe voluto neanche *osare* sperare di esserne il motivo, ma ovviamente era proprio quello di cui voleva convincersi. E la sera restarono a parlare, nel buio confidente.

Hai notizie di Sorellastra? domandò lui, con una calma che non le evitò una fitta allo stomaco.

Non molte; immagino che trascorra le sue giornate nell'ozio, gli rispose Lei, e sperò che il suo tono non svelasse troppa acredine.

Sì, sorrise lui, immagino anch'io.

Ti manca?

No.

Lei non replicò, sebbene sapesse che sarebbe stato il momento giusto. E pensò che il problema non era dire la cosa sbagliata nel momento sbagliato, ma dire la cosa sbagliata nel momento giusto, adatto ad affermazioni esatte e calibrate. Era molto peggio essere goffi che sbagliare.

Finché lui non interruppe il silenzio.

Ti piace qui?

Sì, rispose Lei, sollevata e delusa che Principe avesse cambiato discorso, ma non fatichi a convivere con questo tipo di esistenza?

No, non tanto; badare ai campi non è poi peggio che badare all'etichetta, per lo meno è più utile. E poi mi permette di essere ciò che non ero. A te non piacerebbe essere ciò che non sei, almeno ogni tanto?

Certo che mi piacerebbe. (Ma se fosse stata ciò che non era, sarebbe stata meno ordinaria?) A volte ho pensato a chi potrei essere, o a cosa, ma non ho molta fantasia.

Principe la guardava, e aveva occhi che bruciavano più che mai. Tutto lui bruciava.

Sai che cosa saresti, anzi che cosa sei, qui, per me?

No, però mi piacerebbe saperlo.

Lui si limitò a guardarla, a bruciarla, per un tempo che le parve infinitamente lungo eppure finì troppo presto.

Un campo di fragole.

Un campo di fragole?

Perché no? Tu sei esattamente questo per me, un campo di fragole. Ti piace, essere un campo di fragole?

Lei avrebbe voluto conoscere il significato di quell'immagine.

Sì, si limitò a rispondere.

Poi cadde una goccia di pioggia – finalmente – e loro si guardarono e successe quello che doveva succedere. Finalmente.

Doveva succedere, eppure Lei non pensava che potesse. Per lo meno, non avrebbe creduto che sarebbe successo così. All'inizio, si disse che sarebbe successo per lo spazio di una notte; poi, che sarebbe successo finché non si fosse diradata l'atmosfera della notte; infine, che sarebbe successo per tutta la durata della sua permanenza nella Contrada. Un pensiero così grande da risultare incredibile, e incredibilmente continuò a succedere. Un rapporto e non un preliminare, un amore e non un innamoramento. Per lettera, per incontri strappati, per giorni e settimane. Come se fosse normale, come se fosse una storia.

Un giorno – ma quale? come individuarlo esattamente, al di là della sensazione che ci fosse stato? – le lettere di Principe incominciarono a diradare. Non erano molto meno frequenti di prima, a onor del vero, ma non arrivavano nemmeno più così puntuali, e il loro tono era un poco diverso, meno infervorato. Quel giorno, Lei incominciò a farsi e fargli domande, timidamente. E, quel giorno, lui incominciò a comportarsi come chi ti sta abbandonando: negò che fosse cambiato qualcosa, si difese dicendo che aveva troppi problemi per amoreggiare – e quando Principe le diceva così, Lei si sentiva infantile e viziata: la carestia se n'era andata ma era scesa la peste, Capitale era ancora immune ma la Contrada no, ovvio che lui non avesse il tempo né la voglia di amoreggiare. Era un uomo adulto con adulte responsabilità, non una bambola come lei. E Lei mise pazienza, si trattenne dal chiedere spiegazioni e coccole e cercò di abituarsi alle lettere meno frequenti e infervorate. È la peste, è la peste, si ripeteva. Ma allora perché tutto sembrava l'ultima pagina di un racconto d'amore senza lieto fine?

In un altro giorno non individuabile, Principe sparì. Per più di un mese non arrivarono sue lettere. Nessuna risposta agli appelli che Lei, dopo aver resistito per dieci giorni, iniziò a inviargli sempre più pressantemente. Lei cercò allora, come poteva, di raccogliere notizie su di lui e sulla Contrada: la peste avrebbe dovuto averla già abbandonata, se su quelle terre ritenute più sicure non si fossero riversate le genti che fuggivano il flagello: genti che riportavano indietro il virus. Lei sempre più tentava di convincersi che quelle fossero le gravi, gravissime occupazioni che lo distraevano da loro due, e, anzi, non dubitava che in parte fosse davvero così. Ma, si domandava, se io fossi sua moglie, se vivessimo sotto lo stesso tetto, che farebbe? per un mese non si avvedrebbe della mia presenza, eviterebbe di parlarmi come fossi un fantasma che nemmeno fa tintinnare le catene?

La lettera con cui Principe si riaffacciò nella sua vita non le diede risposte. Chiedeva scusa, proponeva un incontro, accennava vagamente ai disordini della Contrada e alla peste, nient'altro. Ma era la prima lettera di lui dopo un mese, proponeva un incontro: avrebbe dovuto, Lei, fare la sostenuta, rispondergli indignata che gli sarebbe occorso molto più sforzo per riconquistarla, oppure non rispondergli affatto? Sorellastra avrebbe saputo come reagire. Ma Lei non era Sorellastra. Lei era una ragazza ordinaria che poteva profumare di fragole soltanto grazie a Principe. Perciò accettò l'invito e non chiese spiegazioni. E in mente le restò la domanda, con una risposta negativa già appesa sopra: se facessi la preziosa con lui, se rifiutassi le sue scuse, lui insisterebbe a cercarmi, tenterebbe qualunque mezzo per ottenere il mio perdono?

Si ripromise dunque di chiedergli spiegazioni non appena si fossero incontrati, ma, quando si incontrarono, Principe sospirò che trovarsi lontano dalla Contrada, e per di più con Lei, gli sembrava un sogno, e Lei non fu più in grado di chiedergli nulla. Passarono insieme due giorni, stavolta. Non abbastanza per ritrovare la confidenza di prima che esistesse quel mese di silenzio, ma il problema non pareva esattamente la mancanza di confidenza. Mancava altro. Dopo quelle prime, incoraggianti parole, Principe non le disse nulla di significativo. E quando Lei, timidamente, chiuse la voglia di piangere dentro una dichiarazione d'amore, lui rispose due fra le parole che nessun innamorato vorrebbe mai sentirsi dire: «Lo so.»

Ciò nonostante, nei giorni che seguirono al loro incontro, Principe sembrò quasi essere tornato quello di prima: le scriveva regolarmente, e sebbene non avesse più il fuoco dei primi tempi, Lei si diceva che non avrebbe avuto altra ragione di scriverle, e non così spesso, se non l'avesse amata. In breve, però, Principe tornò a essere assente come in quel mese silenzioso, anche di più; e Lei tornò ad assillarsi fra scusanti e sconforto, con un'ossessività che la innervosiva e rattristava. Lei che si era sempre ritenuta una persona forte, capace di smussare i dolori in mille interessi, ora non sapeva che pensare delle vie contorte e sconosciute su cui lui aveva condotto e forse ucciso la loro relazione; e sebbene si rendesse conto che i suoi pensieri e le sue supposizioni si avvitavano sempre sugli stessi, pochi fatti e dati concreti, non riusciva a evitare di formularli. Come una donnetta qualsiasi, si condannava, come la ragazzetta qualsiasi che sono. E forse non sono neppure in grado di guardare in faccia la realtà.

Ma di lì a poco sarebbe stata la realtà a guardarla in faccia, anzi a prenderla a schiaffi in faccia.
Lo fece usando la voce di Madre: la quale le annunciò che Principe e Sorellastra erano tornati insieme ed erano stati riammessi a corte. Pareva addirittura che Re avrebbe restituito al primogenito la successione al trono. Madre non mancò di riportarle i pettegolezzi che nel Regno si erano intessuti e continuavano a intessersi, propendendo per le tesi più pruriginose.
Lei non sapeva a quale voce dar credito, né comunque le interessava scoprire come si fossero svolti i fatti: fra loro era finita, che altro importava? E a dire il vero, ammetteva a se stessa, neanche questo importa, non al resto del mondo. Forse nemmeno a lui.

Si rividero a palazzo, al primo galà ufficiale per la riconciliazione dei futuri regnanti.
L'espressione di Sorellastra, fra tutti quei dignitari dame e nobili che, cerimoniosi e ipocriti, le dava-

no il bentornata a corte, era la stessa di quando ancora non era successo nulla, come se non fosse successo nulla: l'espressione migliore per far credere a tutti che *non fosse* successo nulla.

Lui non pareva a disagio, quanto distratto. Faceva quel che l'etichetta gli imponeva di fare, ma si guardava un po' troppo intorno, e il suo sguardo si perdeva troppo spesso nel vuoto. In quelle divagazioni, a volte lo sguardo gli cadeva su di Lei, e su di Lei si soffermava; uno sguardo non ostile, non nemico, anzi; ma non era neppure uno sguardo complice, e tanto meno uno sguardo di scuse. Lei cercava di scorgervi, e pensava di scorgervi, almeno un certo disagio; ma forse era soltanto quello che sperava di trovarvi, così come sperava che Principe cogliesse un pretesto o un'occasione per appartarsi con Lei, e spiegarle. Ma le occasioni passavano incolte, di pretesti non se ne cercava alcuno, e Lei si ritrovò sulla strada di casa ignara e palpitante come quando era uscita per recarsi a palazzo.

Il giorno dopo, una serva le consegnò un pacco informandola che le era stato recapitato da un messo reale. Un pacco non era una lettera, ma poteva essere un messaggio. Lei lo scartò in fretta: era un cartoccio di fragole selvatiche. Rischiò di farle cadere a terra. Si disse che non sarebbe più dovuta andare a palazzo. Ma sapeva che avrebbe continuato ad andarci, sognando che le cose cambiassero e consapevole che non sarebbero cambiate, non per Lei.

Scese nelle cucine, il cartoccio di fragole appoggiato sui palmi delle mani come un vassoio d'argento. Si chinò sul camino, raccolse un po' di quella cenere che aveva tenuto compagnia a Sorellastra per tanto tempo, così tanto da darle un nome. Poi prese una fragola, la cosparse di cenere e cominciò a mangiarla. Era come mangiare un cuore che avesse cessato di battere da poco, insieme alla terra della sepoltura. In fondo, non era proprio così? Continuò a mangiare fragole cosparse di cenere, ed era come se il cielo sparisse sopra di lei, oscurato dalle palate di terra che Sorellastra le gettava addosso.

Nel regno dei morti apparenti

Quando mi sono svegliato, ho pensato che fosse tutto normale: che il principe fosse passato attraverso il bosco e l'avesse baciata, che tutti si fossero svegliati dopo i cento anni di sonno incantato.

Ma quel pensiero è durato per una manciata di secondi: il tempo di stropicciarmi gli occhi, e ho percepito che c'era qualcosa di strano. Il silenzio invece del borbottio degli sbadigli. L'assenza di movimenti. L'assenza di risvegli.

Mi sono guardato intorno: Giannozzo, il paggio che si era addormentato accanto a me, russava; Matilde, la camerierina di cui ero invaghito, aveva il respiro pesante e una scia lucida sul mento, lasciata da un filo di bava; e tutti gli altri, anche loro erano ancora addormentati.

Ho cominciato a perlustrare ogni angolo del castello, di passo prima e di corsa poi: in ogni corridoio, in ogni sala, in ogni scantinato e in ogni solaio, tutti dormivano. Conti, duchi, marchesi, gran dame e damigelle di compagnia, cortigiani, soldati, valletti, gli attori ospiti alla festa per il suo sedicesimo compleanno, il matto del re, giocolieri, ancelle, serve, sguattere, cuochi, garzoni, il capitano di ventura e i suoi uomini, guardie, messaggeri, il cappellano reale, i gatti e i suoi levrieri. Tutti dormivano così profondamente che né il rumore dei miei passi né gli scrolloni che davo all'uno o all'altro potevano destarli. E quando, col fiato corto, mi sono fermato nella sala dalla quale ero partito, ho dovuto ammettere una verità che mi ha accorciato il respiro più della corsa: nessun principe era passato attraverso il bosco, nessun principe l'aveva baciata. L'incantesimo continuava, intatto. Soltanto su di me non funzionava più.

Avrei potuto urlare, o piangere. Invece, senza neppure stupirmene, sono rimasto piuttosto calmo: in fondo, mi sono detto, sono soltanto sveglio; ed essere sveglio non significa nulla, se non che sono vivo. Quindi mi sono specchiato nello scudo di una sentinella che, nel sonno, digrignava i denti: ero identico a quando, dio solo sa quanti anni prima, mi ero addormentato. Tutti erano identici a quando si erano addormentati, né più magri né più vecchi. Solo, erano tutti lordi e maleodoranti. Le vesti puzzavano di urina ed escrementi secchi, i volti erano rigati e scuri di sporcizia, dai corpi trasudava il fetore delle piaghe da decubito. Dunque, ho pensato, il sonno deve durare da molto; e solamente in quell'istante mi sono reso conto che anch'io ero lordo e maleodorante, e che le piaghe doloravano lungo la mia schiena e le mie gambe. Dovevo curarmi e lavarmi. Dovevo controllare se c'erano provviste ancora commestibili e provare a penetrare il bosco. Dovevo occuparmi di molte incombenze, e prendere molte decisioni. Ma prima sono andato a vedere lei.

Nella sua torre erta nel cielo, così alta e solitaria che pareva di udire un ronzio di volo, anche lei continuava a dormire. Nei suoi escrementi come tutti gli altri. Né più magra né più vecchia, come tutti gli altri. E con le piaghe da decubito, come tutti gli altri.

Ma così bella.

Bella di una bellezza sovrana, bella di una bellezza temibile.

Quale essere umano, principe o brigante, nobile o paggio come me, avrà mai il coraggio di baciarla?

Ho intrapreso il mio giro di ricognizione. La prima tappa sono state le dispense: mi ha di molto confortato scoprirle colme di ogni abbondanza, cacciagione e formaggi e vini che, come lo stato delle persone non si è alterato con l'incantesimo, così paiono destinati a mantenere intatte freschezza e fragranza, quasi dormissero anch'essi.

La visita alle scuderie, alle stalle, ai pollai, alle conigliere mi ha poi confermato quanto già immaginavo: dormienti, immersi nella loro sozzura e immutati erano pure tutti gli animali, dai cavalli personali del re alle oche, ai maiali. Ho provato a svegliarne qualcuno, domandandomi se l'incantesimo non fosse un po' meno potente su degli esseri privi di un'anima immortale, ma non vi sono riuscito, e la delusione è stata più cocente di quanto non fossi preparato a sopportare: la compagnia di un cane, o persino di una gallina, sarebbe pur sempre stata una compagnia.

Per distrarmi dal bruciore di quella delusione, sono uscito dal castello per rendermi conto dello stato in cui si trova la selva che la fata vi ha fatto crescere tutt'intorno. Non ho mai visto nulla di simile nella mia vita e, sebbene sia conscio di aver visto ben poco all'infuori del castello, sono convinto che al mondo possano esistere ben poche foreste altrettanto estese, spaventose, impenetrabili. Gli alberi sono fitti e contorti, con rami che si piegano al suolo e s'attorcigliano a quelli di altri alberi, sbarrando il cammino. E se anche non vi fossero gli alberi, a impedire di avanzare sarebbe sufficiente l'intrico di rovi del sottobosco: nessuno potrebbe battere il cavaliere che indossasse una cotta irta di quei pungiglioni che paiono ferro, e temo che nessuno potrà vincere la selva incantata e attraversarla. Nessun principe, per quanto fiducioso nei propri mezzi e fermo nei propositi, nessuna spada, per quanto affilata, potrebbe aver ragione di tali e tanti sbarramenti più che naturali. Ci vorrebbero mesi, forse anni per aprire un durevole varco nelle miglia e miglia di questa muraglia vegetale. E chi mai avrebbe la possenza e il desiderio di sudare e graffiarsi per mesi o forse anni, per ammaliante che sia la leggenda della principessa addormentata?

Sono rientrato nel castello, respinto più che accolto dal suo fetore, dalla sua umanità in disfacimento. Occorrerà qualcuno che spiani la strada a chi dovrà sciogliere l'incantesimo. Qualcuno che lentamente scavi un sentiero nella foresta, che tenga il castello e i suoi abitanti puliti e in ordine, di modo che chi vi entrerà non sia tentato di fuggirne al più presto. Qualcuno che sono io, almeno fino a quando resterò sveglio. Ma fino a quando resterò sveglio in questo regno di morti apparenti? Ho guardato Matilde addormentata, poi sono corso nell'ala della servitù alla ricerca di stracci e secchi. Meglio lavorare e non porsi domande, meglio lavorare e scacciare il fetore, quello del castello e quello dei miei demoni.

Sono passati i giorni, e il lavoro continua a essere ugualmente pesante. Non ho ancora finito di pulire tutto: ho spogliato ogni dormiente, l'ho lavato, gli ho disinfettato le piaghe, l'ho rivestito di abiti freschi e gli ho cambiato posizione per facilitargli la guarigione delle piaghe. Ho strigliato i cavalli, spulciato i cani, pulito le conigliere e rimesso in ordine e lavato ogni bestia con la sua cuccia. Ora sto rassettando il castello, ed è un'impresa che da sola mi occuperà per almeno un paio di settimane: centinaia di stanze da pulire, di corridoi e armature da lustrare, di arazzi da spolverare, di broccati da lavare. E quando avrò rassettato il castello, dovrò ricominciare daccapo a occuparmi di persone e animali, né ho ancora iniziato ad aprire il sentiero nel bosco.

E devo anche lavare lei.

La cosa più difficile è stata cominciare. Spogliarla, o meglio prendere la decisione di spogliarla. Il mio timore non era quello di provare un riprovevole desiderio nei suoi confronti: la sua inumana bellezza non suscita desiderio. Piuttosto, provavo qualcosa di simile a ciò che può provare un ladrone fermo di fronte alla chiesa che intende derubare: sa di volerlo e, in qualche misura, di *doverlo* fare – per se stesso, per la sua famiglia –, eppure la consapevolezza che sta per profanare la casa di dio lo fa esitare, e chiedere perdono.

Anch'io ho chiesto perdono per la profanazione che mi accingevo a compiere; poi ho iniziato a spogliarla. Dopo averla spogliata l'ho lavata, e dopo averla lavata l'ho asciugata, profumata, pettinata, disinfettata, rivestita. Come ho fatto con tutti gli altri, ma con lei era, o per lo meno sembrava, diverso. Il sonno la rendeva così cedevole, come cera fra le mie mani: che io le sollevassi un braccio, le strofinassi una pezza bagnata fra le gambe, le pulissi una piaga, lei mi lasciava fare senza opporre la minima resistenza, senza manifestare la minima reazione. Non un sorriso se, involontariamente, le facevo il solletico, non una smorfia se le mie medicazioni le procuravano bruciore. Era la mia sovrana e dipendeva da me, dalle mie cure e premure. Ne dipendeva al punto che le subiva, a differenza di qualsiasi normale degente, senza averle richieste, senza neppure sapere di averne bisogno. Il fatto che io, in questo luogo cieco di dormienti, dedichi la mia veglia innaturale a conservarle salute e bellezza, significa che io sono al suo servizio o che lei è alla mia mercé? Sono il suo schiavo o il suo dio?

I giorni sono diventati mesi, e la mia solitudine stanchezza. Sebbene i dormienti non orinino né defechino più, dacché non prendono alcun cibo o bevanda, ho comunque troppo lavoro per avvertire la mancanza di una compagnia o per domandarmi il motivo di quanto è successo a me solo. Le persone da pulire, cambiare, massaggiare, muovere; le bestie da accudire; il castello da tenere in ordine ed efficienza, il sentiero da aprire; e lei. C'è poi il tempo, per quanto poco sia, che devo necessariamente dedicare a me stesso: l'igiene personale, il cibo. Il sonno. Quando finalmente posso coricarmi, e accade sempre molto dopo che sono calate le tenebre, mi addormento troppo in fretta per riflettere. Ma quando la stanchezza fisica è così immane da tenermi sveglio, allora i miei demoni tornano, e mi pongono domande inutili eppure sconvolgenti. Mi rannicchio sotto le coltri, stringo gli occhi e tento di concentrarmi su di una bella immagine del giorno – il rosso stridente di un lampone sul fitto nero della selva, un goccio d'essenza profumata, scivolata fino all'ombelico di lei –, ma i demoni turbinano nella mia stanza, sbattono come falene contro pareti e finestre e domandano, domandano: Ti sveglierai domattina? perché sei stato tu il prescelto a questa vigilanza? e perché sei stato condannato a sentirti simile agli altri esseri umani soltanto nel sonno, quando la coscienza di ciò che sei svanisce?

I mesi sono diventati anni, e la mia solitudine invecchiamento. Cerco di non guardarmi spesso, tanto non serve: so quanti anni sono trascorsi dal giorno in cui mi svegliai e so che, se allora ero un giovane nel vigore dei suoi diciassette anni, oggi che ho superato i trenta inizio la discesa verso la vecchiaia. Se potessi sapere, anche, quanti anni ho dormito, quanti ne mancano alla scadenza dell'incantesimo centenario.

I miei lineamenti si sono come induriti, intorno agli occhi ho spruzzi di rughe e il mio corpo, nonostante il duro lavoro, comincia a rilassarsi, e presto anche le mie forze inizieranno a calare. Fino a quando sarò sveglio, come ogni vivo sarò destinato a cambiare. Solo nel corpo? A volte mi domando in che cosa si sia trasformata la mia anima e se esista ancora, dopo tutti questi anni trascorsi insieme a persone che ci sono e necessitano del mio aiuto, eppure non reagiscono né alle mie parole né ai miei gesti. Capita a volte che, per sfogarmi, prenda Matilde. Iddio mi perdoni, ma capita. So che, se fosse sveglia, acconsentirebbe a soddisfarmi, o almeno che così faceva un tempo, e forse è il motivo per cui ho scelto lei, più che un sentimento ormai decrepito. Ma questo mi rende meno colpevole?

Le provviste sono finite. Ora mi cibo delle bacche e della selvaggina che mi offre la selva, e saltuariamente uccido un pollo o un maiale: la foresta non è generosa, se non di rovi. Quindi, se continuerò a svegliarmi ogni mattina, verrà il momento in cui dovrò uccidere i cani della principessa, i cavalli del re. E quando non ci sarà più un solo animale al castello? Riuscirò a vivere del poco che mi concede il bosco? Temo di no. E dunque? Mi rassegnerò a morire, lasciando che il sentiero si richiuda e il castello ripiombi nel disfacimento? Oppure deciderò che, tra un uomo addormentato e un uomo sveglio, è più giusto che sopravviva il secondo, che sopravviva io?

Non so se sia più giusto, ma ho scelto di sopravvivere. Gli anni sono passati, al castello non vi sono più bestie e io ho dovuto prendere la mia decisione. Credevo che sarebbe stato più difficile, *avrei voluto* che fosse più difficile, e così il mio unico senso di colpa è quello di non provare abbastanza senso di colpa.

Credo sia perché ormai odio questi dormienti: quale crimine orrendo o quale impresa sublime ho mai compiuto per meritare di essere a vita l'unico sguattero di un'intera corte, sguattero di spettri che non sono neppure in grado di tuonarmi i loro ordini? Certo, vorrei poter scegliere di abbandonarli al loro sciocco sonno, di abbandonare il castello con una bisaccia in spalla e una scure in mano per aprirmi un varco fra i rovi, verso la libertà. So che probabilmente morirei lungo il percorso – non avrei cibo e forze a sufficienza per tutta la durata del viaggio –, ma almeno morirei da evaso, e non da prigioniero, incarcerato dal sonno altrui.

La mia colpevole scelta, però, non assolve i dormienti, il loro silenzioso bisogno di assistenza, il loro subdolo dominio. Così, quando ho affondato la spada nel cuore del più anziano abitante del castello, non mi sono sentito oltremodo in colpa; quando poi l'ho denudato e ho iniziato a smembrarlo e disossarlo come avrei potuto fare con un pollo, è stato il ribrezzo il mio sentimento dominante; infine, quando ho accostato alla bocca quello che a chiunque sarebbe parso come un normale boccone di carne, tutto ciò che ho pensato è che il sapore e la consistenza erano peggiori di quelli di qualsiasi altro animale. Iddio mi perdoni, ma ho mangiato carne umana, e continuerò a mangiarne ogni volta che passeranno giorni e giorni di digiuno e la selva si rifiuterà di offrirmi il suo sostentamento. Continuerò a mangiare carne umana, scegliendo per primi i dormienti più anziani e sperando di non provare mai piacere mangiandone. Ma non so se riuscirò a provare un vero senso di colpa, né so quando e se mi fermerò: sarò disposto a divorare l'intera corte, se questo mi permettesse di preservare dalla morte me e, di conseguenza, il sentiero fra i rovi e la principessa? E a volte mi domando se non proverei piacere mangiando lei.

In questo periodo dovrei compiere quarantasette anni e comincio a temere per la mia vita. Sono vecchio e, sebbene il lavoro sia diminuito da quando non vi sono più animali cui badare, fatico sempre allo stesso modo e per lo stesso numero di ore, poiché mi occorre molto più tempo per svolgere ogni lavoro di quanto non me ne bastasse in gioventù. Se il principe giungesse ora, sarebbe il momento più opportuno: il sentiero è completamente aperto, il castello è accogliente, lei è splendida. Se il principe giungesse ora, non potrebbe resistere alla tentazione di baciarla, l'incantesimo svanirebbe, tutti si sveglierebbero e io sarei libero di riposare, o di morire, anche.

Invece il principe non arriva, e io sono condannato a vivere, e vivendo a vegliare, a vegliare ancora, a vegliare sempre. E se le malattie gravi mi hanno sempre risparmiato – un lascito dell'incantesimo alla mia povera persona? – non posso evitare di domandarmi che cosa mi aspetti. Devo tentare a ogni costo di svegliare qualcuno? attraversare la selva, catturare il primo bifolco che incontro e costringerlo a sostituirmi? e come potrei costringerlo, se gli anni mi avessero reso troppo debole?

Qualche decisione va presa. A meno che la realtà non sia quella che, spaventosa, ogni tanto mi striscia lungo la nuca come un brivido di orrore: se fossi destinato a un'eterna vecchiaia?

I miei demoni-falena turbinano così vorticosamente nell'aria da produrre un sibilo raccapricciante. Per quanto le forze me lo consentivano, ho preso a correre per il castello, scuotendo ogni dormiente che incontravo sul mio percorso, come avevo fatto nel giorno del mio risveglio, minacciandoli perfino con un pugnale, scioccamente: chi dorme non ha coscienza della vita, come potrebbe averne del pericolo?

Ma, seppur sciocca e inutile, la mia furia non si è spenta, e mi ha condotto fino alla torre più alta del castello, quella in cui giace lei, e anche lei ho scrollato, anche lei ho minacciato con il pugnale, stupida imbelle ragazzina che è riuscita a pungersi con l'unico arcolaio del regno e ci ha dannati tutti. Avrei potuto, e forse in quel momento avrei *voluto* ucciderla, lei più di tutti gli altri.

Ho alzato il pugnale. Subito, però, mi sono fermato. La sua bellezza è troppo pura. Né l'amore né l'odio dovrebbero contaminarla.

Ho rinfoderato il pugnale, ho respirato a fondo fino a calmarmi. Bene, ho pensato. Forse è ora di vedere se, poiché non m'è concesso il sonno fatato, m'è concessa almeno la morte.

Mi sono avvicinato alla finestra, ho stretto il davanzale fra le mani.

Ho sollevato un ginocchio per portare la gamba all'esterno.

In quel momento l'ho visto.

Procedeva al passo e si era già inoltrato di un bel tratto nella foresta, lungo il sentiero che io gli avevo aperto e dal quale non gli era necessario che tagliare qualche fronda per far avanzare con più agio il suo cavallo. Ho calcolato che gli sarebbe occorsa una mezz'ora per arrivare al castello: dovevo sbrigarmi. Ho ricomposto lei, pettinandole i capelli e cospargendola di profumo; poi ho perlustrato ogni stanza e ogni corridoio, controllando che tutto fosse in ordine per accogliere il principe nel suo splendido sonno incantato. Infine mi sono nascosto, per osservare senza essere visto.

In capo a una mezz'ora, il principe è arrivato. È

sceso di sella subito dopo aver oltrepassato il ponte levatoio, ha legato il cavallo e ha proseguito a piedi, guardingo, come se stentasse a capacitarsi della realtà di quella che, finora, deve aver ritenuto una leggenda.

Entrato nel castello, per un po' si è soffermato accanto a questo o quel dormiente, scuotendone la spalla come per verificare che stesse effettivamente riposando, più che per tentare di svegliarlo. Finalmente ha notato i festoni che io ho disposto da tempo per indicare la strada verso la torre e li ha seguiti. Io, a mia volta, ho seguito lui, silenzioso come tutti gli anni in cui l'ho atteso. È arrivato in cima alla torre, è entrato nella stanza della principessa. Si è fermato di fianco al letto, in contemplazione. Per un attimo ho sperato che non la baciasse, che comprendesse la purezza estrema di quella bellezza. Poi lui l'ha baciata, e in quell'istante ho compreso quanto fosse sciocca la mia speranza: anche la bellezza di lui è troppo pura per essere contaminata.

Si sono trovati.

Il castello ha incominciato a svegliarsi.

Io ho esaurito il mio compito.

Il castello e i suoi abitanti sono desti.

Si sono chiesti che fine avessero fatto gli animali e alcuni di loro.

Si sono chiesti quanto e come sia cambiato il mondo.

Si sono chiesti quando si celebreranno le nozze fra il risvegliatore e la risvegliata.

Nessuno si è chiesto come mai il suo corpo fosse

tanto pulito, né come il principe abbia potuto aprire un sentiero tanto largo e regolare nella selva. Del resto, lui s'è guardato bene dal confessare la verità. Attribuiscono ogni meraviglia e stranezza all'incantesimo, e di questa spiegazione che nulla spiega si appagano.

Qualcuno, come Matilde, si è domandato che fine abbia fatto io, e chi sia il vecchio sofferente che sono diventato. Hanno accantonato il me giovane nel novero delle persone scomparse; e un vecchio non è mai così interessante da catturare a lungo l'attenzione.

Così la vita riprende, alacre e gioiosa in vista delle nozze.

La mia, di vita?

Ho incontrato la fata. Mi ha riconosciuto. Mi ha domandato se rivoglio la mia giovinezza. Sarebbe possibile. Ricomparire dal nulla, escogitare una spiegazione plausibile per giustificare la mia temporanea scomparsa, prendere Matilde con il suo consenso, ricominciare la vita di un tempo, di un secolo fa.

Ho declinato l'offerta.

E poi, senza passare dalla mia stanza, senza raccogliere le mie poche cose, senza dare né ricevere saluti, sono uscito. Ho oltrepassato il ponte levatoio, ho lasciato il castello e sono entrato nella selva, allontanandomi sempre più dal sentiero, immergendomi fra i rovi più intricati, inseguendo le ombre più buie.

Cammino a fatica nell'oscuro silenzio, in attesa di incontrare il sonno.

ALCOL

Trilogia etilica

La notte della perla

La tua amica dovrebbe fare la scrittrice, lei che sa trarre princìpi dalla propria esperienza; per esempio adesso che siete sedute tu per terra e lei sul bidè, in un bagno champagne in cui la festa entra attutita. Lei ha in mano un boccale di rossa, smerigliato di impronte unte – maionese con cui si è macchiata la camicia, ed è per questo che siete finite in questo bagno molto intonato all'atmosfera alcolica-con-classe della serata. La macchia l'avete nascosta sotto una placcatura di borotalco; tu sorseggi un Rusty Nail troppo dolce e lei ti spiega la sua teoria dei tre uomini per donna: Allora, prima di tutto ti ci vuole il cosiddetto compagno di vita, no? quello che non s'incazza se gli usi il rasoio per depilarti eccetera; poi ovvio, ci dev'essere la grande passione, inevitabilmente dolorosa, okay, ma che almeno ti tiene viva; e poi be', ci va un amico-amante, ecco, uno poco impegnativo, giusto per fare sesso senza problemi... no perché se sono due è un casino, nessuno vuol fare la parte dell'*altro* e si creano delle competizioni, e invece quattro son troppi, rischi che li confondi...

E forse c'è un bordo di verità in questa teoria (pensi), meglio che il triangolo abbia vertici monosessuali e la donna ne stia fuori, solo che il tuo Rusty Nail è davvero troppo dolce, con poco whisky metabolizzato dal drambuie, per cui ti alzi e dici: Dài, andiamo a controllare che non ti sfascino la casa – che la festa l'ha organizzata la tua amica, a casa sua. Masochismo, gusto dell'orrido o entrambi.

Il Rusty Nail te lo prepari da sola, di fronte a due matricole femmine che bevono crema whisky. Una ti osserva, ha le cornee crepate di rosso e lacrime che a ogni sorso le lucidano gli occhi. L'altra si guarda intorno, gambe accavallate e il polso piegato come se il bicchiere pesasse troppo. L'improvvisato barista segue i tuoi movimenti. Vedi Gian, se metti troppo drambuie vien fuori uno sciroppone che va bene per la tosse, capisci? invece devono essere quattro parti su dieci, *quattro*, non sei, il nome Rusty Nail non ti dice niente? Sinceramente no, ammette lui. Significa chiodo arrugginito, tu pensi che un chiodo arrugginito possa avere il sapore del Fluimucil? certo che no. Gian diligente segue le tue ricette alcoliche. Okay, Lucy. Se almeno non ti chiamasse Lucy, e se si offendesse quando lo tratti così. Invece. Ma ti chiamano tutti Lucy, e nessuno si offende, con te. Le due matricole hanno ascoltato le tue ricette alcoliche e non hanno più il coraggio di bere la crema whisky. Sorridi: Mai bevuto un Rusty Nail? Certo, banfa quella che gioca a Liz Taylor in una vecchia parte di donna perduta e perdente; quella che è costretta a fare Doris Day non ti risponde. E un Bloody Mary? insisti. Sì, certo, anche il Bloody Mary, ribanfa Liz Taylor. Niente male, vero? prosegui, io lo trovo perfetto la mattina, prima di dare un esame. Indecise sul da farsi, le matricole sorridono allusive, come se a ogni appello si scolassero piscine di alcolici. A te comunque il Bloody Mary porta bene – il voto è sempre trenta, senza lode nel peggiore dei casi. Lasci le due matricole alla loro crema whisky e Gian ai suoi cocktail sbiaditi. Anche tu sei passata per la crema whisky, molti anni fa.. Chissà se per Liz e Doris quella melma mediocremente alcolica è la partenza, com'è stata per te, o il punto d'arrivo.

Il letto della tua amica è una collina di borse soprabiti golf. La tua giacca è alle pendici, e soltanto quando la trovi vedi i due corpi incastrati: un tuo compagno di corso che ondula i quaderni con le mani sudate, la sua fidanzata all'henné rossotiziano. Ti vedono, si fermano. Cercavo le sigarette, spieghi. Lui le trova nella tasca della tua giacca, te le passa. Scusa, eh, Lucy. Dovresti essere tu a scusarti, ma visto che l'ha fatto lui sorridi e dici: Figurati – e prima di andartene noti che lui ha la schiena impunturata di brufoli e di piccole macchie rosse. Forse la fidanzata si eccita schiacciandogli i punti neri – sempre meglio di quelle mani sudate, in vista dell'Union Suprême.

(La mia schiena dritta, sorprendentemente dritta per un ragazzo così alto. E il suo sapore).

Nel salone sgombrato per le danze non balla praticamente nessuno. Quasi tutti fanno perimetro, schierati in piccoli gruppi, chiacchierando vicini per sentirsi sopra la musica. Qualcuno ha una smorfia infastidita per il chiasso che non permette una Conversazione Degna di Questo Nome. Io preferisco così, urli nell'orecchio del primo festaiolo che si lamenta del rumore con te. Aggrotta le sopracciglia come per dire che non ti capisce. Se il volume è basso non ci si guarda in faccia, e a me viene l'angoscia a parlare così. Il festaiolo scuote la testa, indica il suo boccale vuoto e ti fa capire che va a riempirselo. Mentre si allontana gli guardi le spalle strette e infelici. Meglio il chiasso, avvicinare la bocca alla pelle dell'altro e sentire il suo odore. (Il *mio* odore. Non quello da Uomo Sdocciato del festaiolo – ma aspro, scuro come tabacco forte. E molti ti direbbero: Guarda che l'hai idealizzato, e magari si convincerebbero che bevi perché è finita tra noi – motivazione romantica consolatoria e non più idiota di quella che ti vorrebbe alcolizzata per noia).

Ballano soltanto tre ragazze che probabilmente frequentano una palestra e ora riproducono i movimenti dell'insegnante bbono – e balla una ragazza sola. Si dondola fra capelli mesciati e lunghi, muovendosi male senza saperlo, e in fondo la sua danza inconsapevolmente triste e scomposta è à la page come la sua gonna scampanata in finto camoscio, come i suoi capelli mesciati e lunghi.

Gian nell'Old Fashioned ha messo scotch e non

bourbon – miscela errata proprio quando la festa inizia a gonfiarsi: molti ballano, e quelli seduti si baciano bevono fumano. Ti infossi in una poltrona a fumare e osservare. I ragazzi con cui sei stata starai o non starai mai, le ragazze che ti detestano ti imitano o ti cercano. Le persone intelligenti o idiote e la maggior parte a metà strada, quelle simpatiche o noiose, quelle semplici o tortuose e in entrambi i casi per finta, quelle eleganti e quelle che tentano di esserlo, i ricchi vestiti fintopovero. Chi balla, chi osserva, chi beve, chi rolla, chi parla, chi predica, chi invidia, chi ride, chi è triste, chi si sente male, chi litiga, chi vuole essere al centro dell'attenzione e chi si rimpicciolisce in un angolo. La musica che batte, le luci che affettano i corpi in movimenti discontinui. Se fossi qui, non direi una parola, mi lascerei guardare dalle femmine come se fosse un dovere sgradevole, inseguendo le zone d'ombra. Ma tu non vuoi pensarmi, tu vorresti sempre blindarti di ironia contro contesti e persone, ma con me non ci riesci – e non ti ricordi chi ha detto che se non riesci a ridere di una persona, vuol dire che la ami. Quindi ti alzi e vai a riempirti il bicchiere e a cercare il Fidanzato in Carica.

Eccolo qui il boyfriend: è bello, con questa sua faccia lunga pallida scontenta da rockstar inglese; è anche simpatico e convinto di essere scemo, il che onora la sua intelligenza. Trascurato nel vestire, ma non per posa. Però? Be', sta con te perché bevi e ascolti i Beatles – quindi i motivi per cui finirà li

133

sai, e puoi aspettare serena la scritta The End. Lui è in terrazza con un amico, fumano e ridono di un herr professor che il Fidanzato imita bene.

Quando ti vede, un sorriso d'orgoglio gli si dilata in faccia: giusto, lui sta con te, la Bella Alcolizzata. Veramente, non sei bella; piuttosto, appartieni alla specie sfortunata e vastissima delle carine: quelle non abbastanza appetibili per piacere all'istante e non abbastanza mediocri perché un maschio faccia lo sforzo di andare oltre le curve. (Ed eri una carina destinata a diventare una bella donna – una che sui cinquanta è ancora piacente, rughe sotto controllo, colpi di sole raccolti in una coda bassa, gioielli sobri, twin-set di cachemire pantaloni con riga mocassini inglesi, cane di marca e un marito abbronzato. Cene il sabato, cine la domenica, casa in montagna, due figli che vanno bene a scuola, qualche bella donna per amica. Ma hai incontrato me). Tu comunque l'hai capito presto che i maschi potevano vederti più bella di quello che sei – bastava far finta di esserlo. E tu continui a far finta.

Il Fidanzato in Carica ti passa un braccio intorno alla vita, ti dice: Ciao Lucietta. Forse stai con lui anche perché non ti chiama Lucy; non che il tuo nome per esteso ti piaccia, ma lui di questo non ha colpa, e almeno non ti fa sentire l'amica smorfiosa di Charlie Brown. Andiamo a bere qualcosa? gli proponi. Andiamo. Spodestate il barman, tu ti dedichi a un Mai Tai e lui ti morde con gli occhi, come sempre quando prepari un cocktail – fate davanti a un ragazzo una cosa che lui non sa fare, e gli interesserete; fate davanti a un ragazzo una cosa ritenuta "maschile" e lo innamorerete, pensi tu.

Descrivimi quello che fai, ti sussurra lui abbracciandoti da dietro – lo eccita molto, la freddezza cattedratica con cui spieghi quello che prepari. E anche tu ti ecciti un po', con il suo respiro sul collo e i suoi fianchi contro. Allora, il segreto di un Mai Tai sta nel rum; vedi, non ci deve essere la stessa quantità di rum chiaro e di rum scuro, ci vogliono quattro parti di chiaro e due di scuro, mi segui? e poi non bisogna esagerare col succo d'ananas, due parti soltanto, altrimenti il rum soffoca, chiaro? se lo chiamano Zombie un motivo c'è. Lui ti passa la bocca sul collo. Quale motivo? domanda, soprattutto per farti sentire il tono della sua voce e quello che sottintende. Il motivo è che più della metà del Mai Tai è componente alcolica: resuscita i morti. Ti giri nel suo abbraccio, gli porti il bicchiere alle labbra; lui beve un sorso, gli salgono lacrime agli occhi, tossisce. Credo che sia un po' troppo forte per me. Già. Bevi guardandolo, sentendo la sua erezione che ti sfrega la pancia. Già, è un long drink abbastanza incendiario per ubriacare del tutto anche te, e far diventare il mondo soltanto un'eco – e l'eco ti è sempre piaciuta: la sua lentezza, nell'era della velocità. Ma l'erezione sfrega più forte, e serve una camera.

Di camera libera c'è quella del fratello minore della tua amica, un fanclub shop della Juventus. Il Fidanzato che è del Toro ha un moto di disgusto, ma per farti vedere quanto ti brama inghiotte lo sdegno e ti spinge sul letto zebrato. E tu sei abbastanza ubriaca per fissare il poster della squadra senza sentirti osservata da una ventina di persone; sei abbastanza ubriaca perché ti accarezzino ben poche sensazioni, a dire il vero. Non che tu sia una passionale: okay, la semifrigida la fai anche per tecnica (per i maschi farti godere diventa una questione di principio, e per te è un metodo come un altro per scopare molto), ma non sei facile da scaldare, e poi i preliminari ti deprimono: era meglio quand'eri ragazzina, e i baci non preludevano a niente, e si andava avanti a "limonare" per ore – io e te andavamo avanti per ore. Il Fidanzato in Carica ti ha spogliata male, il reggiseno ti gira in vita e hai i jeans arrotolati intorno a una gamba; però si è spogliato anche lui e sì, è davvero bello come un idolo per adolescenti (come me, solo che non riesci a ricordarmi: conosci i dettagli, ma l'insieme ti sfugge; del Fidanzato, l'insieme lo sai perfettamente, e basta questo a farti capire che non lo amerai mai), e lo baci, lo bagni di te, e nonostante l'alcol la tua pelle risponde, il tuo olfatto risponde. Solo che lui dice quella frase, l'unica che non dovrebbe dire: Prendimelo in bocca, non l'hai mai fatto, ti prego. E tu rispondi l'unica risposta possibile: No. Perché no? Io non faccio pompini. Ma perché? Perché no. Il Fidanzato si stacca da te, la sua erezione lentamente si affloscia, e non sei abbastanza ubriaca per non notare che è ridicolo. Io non ti capisco, dice. È solo che non mi piace farli, odio sottomettermi a un maschio. Sottometterti? Sì, fare una cosa che a me dà i conati di vomito per dare piacere a uno, e oltretutto abbassata su di lui come... Eh già, se tu non ti distingui non va bene. C'è un tremito, nella sua voce. E tu pensi ecco, ci siamo: finché sei un vessillo di anticonformismo da sventolare in giro, che tu beva gli sta benissimo; ma poi. Giusto, dimenticavo che tu devi fare controtendenza, prosegue prevedibile lui; tu sei l'alcolizzata, tu... Mi sembrava che ti piacesse, il fatto che bevo. Il Fidanzato si stringe nelle spalle: È solo che certe volte vorrei che ti comportassi come tutte le altre. Si sente intelligente e positivo in questo momento, una specie di libro giusto pieno di idee false, e non ti piace. Senti, io non bevo per andare contro il sistema o robe del genere. Ah no? No, anzi, fra qualche anno sarò un ottimo esempio da *non* seguire per tanti bravi bambini che cresceranno più sani e più belli, e poi... ah, lasciamoli perdere 'sti discorsi cazzuti. Sì, lasciamo perdere. Vi rivestite zitti. Sugli slip, lui ha una piccola macchia scura. Potresti almeno asciugarti quando pisci, gli fai notare. Lui sul momento non capisce, poi si guarda gli slip, guarda te: Ma vaffanculo va', ti dice a bassa voce ma convinto. Almeno scuotertelo a dovere, ribadisci, e ti pare una frase abbastanza efficace su cui fare la tua uscita, plateale ma con classe.

E adesso? Traballi fino in salone: tutti ballano saltano pogano, l'aria si è inspessita e ti manca il fiato, meglio il giardino. Esci, ti siedi nell'erba fradicia fredda, a respirare tutta l'acqua di questo settembre, a guardare il cielo chiaro e appannato di questa sera di luna piena. Appannato dalle nuvole, o è l'alcol che ti crea intorno un mondo parallelo – un'eco?

Luca, ti chiama una voce.

«Luca» ti chiama la mia voce.

Mi siedo accanto a te, mi guardi le ginocchia magre che tendono i jeans.

«Ciao... che ci fai qui?»

«Sono con un amico.»

Il mio odore si mescola a quello dell'erba. Vorresti chiedermi mille cose – cosa mangio, come vivo, perché sono tornato, se sono felice.

«Come stai?» mi domandi.

«Bene, tu?»

«Bene.»

Mi guardi, pensi che sono meno perfetto di come mi ricordavi – ma ti piaccio di più.

«Sei sempre una studentessa modello?»

E un'alcolizzata un po' gonfia, incrostata di sarcasmo, troppo assimilabile a rancidi personaggi letterari. Chissà se io me ne accorgo.

«Sempre. E tu? Immagino che riportare i documenti alle vecchiette scippate dai tuoi amici non renda più come quando avevi tredici anni.»

Un mezzo sorriso mi sfiora la faccia, un sorriso che vorresti stringere fra le mani. Ma vorresti anche non sentirti così, tu che sai vederti dall'esterno: il cervello intorpidito dalla mia presenza e l'alito che puzza d'alcol.

«Lavoro.»

«Lavori??»

«Ebbene sì. Come barman. E ogni tanto arrotondo ballando. Prima preparo gli after dinner e poi ballo. Ballare mi rende parecchio, sai? specie se mi spoglio un po'.»

Il mio corpo lungo, creato per ballare. Te lo ricordi bene, come ti fermavo il pensiero quando arrivava la musica giusta e iniziavo a muovermi.

«E sei bravo, come barman?»

«Mettimi alla prova.»

«Mhm... in un Martini, ci va la fetta o la spirale d'arancia?»

«Nessuna delle due. Lemon twist o oliva. Prova superata?»

Annuisci, mi guardi le mani che accarezzano i fili d'erba, si bagnano nell'erba.

«Ti piace, questa festa?» mi domandi.

«Be'... mi sembra il solito ammasso di gente che dice e fa cazzate. Non so, una festa dovrebbe essere un... un ritrovo per essere contenti di qualcosa *insieme*, no?»

«Già. Ti ricordi la festa di Pilu, al mare?»

«Come no. Eh, quella sì che era stata una figata.»

Il tepore di giugno, i primi bicchieri forti, la gioia per un amico che aveva scampato il riformatorio – e se ce l'aveva fatta lui, potevamo farcela tutti, e il futuro era quello che dev'essere per gli adolescenti, un corridoio con tutte le porte aperte. Poi eravamo andati in spiaggia, io e te saltavamo insieme su un tappeto elastico e mi avevi ferito un labbro: Ti ho fatto male? continuavi a chiedermi, Non è niente, continuavo a risponderti, e mi avevi pulito la bocca con la bocca. Io ti avevo abbracciata, ed era stata la prima volta in cui avevi visto il desiderio negli occhi di un ragazzo – nei miei.

«Ci hai mai pensato?» dici. «Una cosa stupida è una "cazzata" e una cosa intelligente è una "figata". Chissà perché.»

«Forse perché voi femmine anatomicamente siete più belle. Almeno, è così che si dice, no?»

Ci guardiamo. Pensi al mio corpo, ti chiedi se anch'io sto pensando al tuo. Mi alzo.

«Ti va un giro in moto?»

«Mi va.»

Raggiungiamo la moto. Ci salgo sopra, mi guardi la gamba che spinge il pedale dell'accensione, il muscolo della coscia che si contrae e si stende improvviso.

«E il casco?»

«Mi deludi, Luca. Non ti ricordi più che...»

«... che la moto per definizione rifiuta due cose: il casco e i freni. Me lo ricordo eccome, ma pensavo che magari, maturando...»

«Maturare non è necessariamente invecchiare. Dài, sali.»

Sali, e partiamo. La strada alberata che scende dalla collina, il corso che s'infila nelle luci della città, il ponte sul fiume e i lampioni riflessi sull'acqua, i semafori e le autoradio, e di nuovo la salita, le strade sinuose, la moto che piega in curva, l'asfalto che sfiora le ginocchia, i miei capelli sul tuo golf – così lisci e indecisi fra il biondo e il castano, e i miei fianchi tra le tue cosce, e il cinismo si è nascosto in qualche nicchia della mente in cui non hai voglia di cercarlo, ora stai bene così come sei così dove sei, mi metti le mani nelle tasche del giubbotto e siamo abbracciati, la moto corre rallenta si piega si raddrizza accelera sfonda l'aria la notte e noi corriamo rallentiamo ci pieghiamo ci raddrizziamo acceleriamo sfondiamo l'aria la notte, chiudi gli occhi e pensi che non c'è mai stato niente di più bello – l'odore degli alberi che ci scorre accanto e si perde indietro nel freddo, noi due che in curva ci tocchiamo, i tuoi capelli annodati ai miei, il tuo respiro mescolato al mio, e questo è ancora più bello e forse non finirà mai. Ma io rallento, mi fermo, spengo il motore.

Apri gli occhi.

«Dove siamo?» chiedi.

«Al parco. Ti va di fare una passeggiata?»

Passeggiamo in silenzio. Forse dovresti parlare – l'hai imparato presto che i silenzi sono incondivisibili, tu sei lì con un Fidanzato e ti illudi che lui stia pensando e sentendo quello che pensi e senti tu, e invece non è mai così, mai – meglio parlare, almeno il campo semantico è circa lo stesso. Ma con me. Ascolti i miei passi lunghi, assorbi il mio modo aggraziato di occupare lo spazio. Una cotta da ragazzini, ti dicevano i tuoi quando io e i miei ci siamo trasferiti in una città troppo lontana dalla tua, alla tua età queste cose non durano.

«Come mai sei tornato?»

Ci sediamo su una panchina zuppa di umidità, tu con le mani in grembo come un vecchio che guarda la vita dei passanti, io con una gamba al petto e l'altra a terra, a graffiare la ghiaia.

«Ho trovato lavoro qui. E poi avevo bisogno di togliermi da dove stavo.»

«Come mai?»

Prendo tabacco e cartine dalla tasca del giubbotto, inizio a prepararmi una sigaretta.

«Be', intanto non è facile essere stato in riformatorio e sopravvivere in un buco di città dove ti conoscono tutti. E poi niente, stavo con una ragazza. Una come tutte quelle che avevo già avuto, no? che avevo deciso che era importante per non sentirmi un romantico idiota sempre attaccato al primo amore. E le dicevo quello che avevo sempre detto a tutte, che era lei il primo amore *vero* della mia vita, e che quelle prima erano tutte storie incasinate, tutti errori, o *infatuazioni*. Gran bella parola, infatuazioni. La usi con una a proposito delle tue ex e le spalanchi le porte dell'eden.»

Passano due ragazzi abbracciati, una metallara tarchiata e un ermafrodito pallido.

«Ma un giorno lei ha trovato una tua foto, e mi ha chiesto chi eri. Avrei dovuto risponderle che eri il mio primo amore, immagino. Quello vero.»

Vorresti non volermi chiedere cosa le ho risposto. Vorresti non volermi toccare. Vorresti che ti rispondessi quello che vuoi sentirti dire.

«E cosa le hai risposto?»

«Le ho risposto Lei è ogni amore. Bella puttanata, vero? Lei ovviamente ha voluto spiegazioni, e le ho detto che a ogni amore si dice Tu sei il mio primo amore, ma che tu sei l'unica a cui potrei dirlo senza raccontare una palla. E la cosa più preoccupante è che sei anche il mio ultimo amore, piccola luce, per cui eccomi qua.»

Eccomi qua. Ripensi agli anni senza di me, alle sere in cui sei passata sotto quello che era stato il mio balcone e hai guardato la luce accesa, sognando di poter almeno vedere la mia ombra. Vorresti essere meno corrosa dalla sfiducia, dalla vecchiaia e dall'alcol. Mi accendo la sigaretta.

«Fumi sempre le stesse sigarette?» ti chiedo.

Mi guardi le labbra. Ti piaceva baciarle dopo che mi ero preparato una sigaretta, quando sapevano di colla e tabacco.

«Sempre. E bevo molto più di una volta. Almeno so già come morirò.»

«Cirrosi epatica?»

«No... preferirei in un incidente d'auto. Non so quando, ma succederà così, tipo film di violenza metropolitana con protagonisti marcissimi. E poi si chiederanno se ero un'eroina bella e dannata oppure un'imbecille, e il più bravo a usare le parole darà il verdetto definitivo. Se sai parlare bene, riesci a far sembrare vera qualsiasi cosa... comunque sì, un incidente: ubriaca, e in macchina. L'unica cosa che non so è *quando* succederà.»

«Be', il non sapere quando rende intrigante il gioco, no?»

«Appunto.»

Guardiamo il velo di nubi che slabbra i contorni della luna, per un po'. Abbastanza vicini per aver voglia di toccarci e non abbastanza perché il contatto sia inevitabile.

«Io la chiamo la notte della perla» dico. «Ho sempre immaginato la notte come una grossa ostrica che si apre e si chiude, e a seconda di quanto è aperta mostra la perla che ha dentro. Questa è la notte in cui l'ostrica è tutta aperta.»

«Un po' erotica, come immagine.»

«Un po'.»

Ci guardiamo. Vorresti toccarmi i capelli e la bocca, strisciarmi vicina. Vorresti che io volessi le stesse cose.

«Be', se fossimo in un film, immagino che a questo punto dovremmo baciarci» dico.

«Oppure il protagonista direbbe esattamente questa frase e non si bacerebbe nessuno.»

«Probabile.»

I miei i tuoi capelli, la mia la tua bocca, il mio il tuo odore. Ci tocchiamo. Ci baciamo. La mia lingua sa di colla e tabacco. Ti stacchi da me.

«Devo puzzare d'alcol come un... mi spiace.»

«A me no.»

Ci baciamo ancora. La sigaretta è caduta nell'erba, si è spenta liberando fumo e vapore. Ti piace scoprire che ricordi la mia bocca e i giochi che ci puoi fare, ti piace scoprire che ricordo il tuo corpo e i giochi che ci posso fare. Accanto ci scorrono passi, scandalizzati trasalimenti e risatine soffocate, poi silenzio e il fruscio del fiume. Mi slacci i jeans, chini la testa fra le mie gambe – e ti piace sentire le mie mani sulla nuca e il potere che hai su di me ora, ti piace sapere che piace anche a me. L'erba che ci solletica le guance, il profumo di terra bagnata nel-

144

le narici – ma i jeans si sono infradiciati di umidità e non si sfilano, e dopo un paio di strattoni sfiniti e inutili scoppiamo a ridere.

«Fine del film» sospiri.

«Solo del primo tempo. Dài, andiamo a girare il secondo all'asciutto.»

Freddi bagnati e verdi d'erba torniamo alla moto, torniamo alla festa.

Molti se ne sono andati. Restano alcuni dormienti sui divani, qualche coppia in pieno petting, due o tre grappoli di insonni che ballano. Della tua amica nessuna traccia, dell'ex Fidanzato nemmeno, e il bancone del bar è deserto. Mi guardi preparare due Angel Face impeccabili, li beviamo intrecciati come i nastri di un festone, poi cerchiamo una stanza libera – di nuovo il fanclub shop della Juventus. Ma nella penombra della luna piena, potrebbe essere anche una scatola dei ricordi.

I jeans un po' più asciutti si lasciano scalciare via, e scivoliamo sulla coperta zebrata. La mia bocca in cui ti perdi, il mio corpo in cui ti perdi. Le parole che mi dici mentre ti sono dentro, le parole che ti dico mentre mi sei intorno, i miei occhi e le mie mani addosso – e pensi che, se potessi scegliere quando morire, vorresti che succedesse mentre sei così, mentre hai i miei occhi e le mie mani addosso. E dopo, ti addormenti stretta a me, tu che non hai mai condiviso con nessun Fidanzato l'intimità del sonno. Rintanata in me – come una mano in una muffola, tra le mie braccia.

Lucy, sveglia. In dissolvenza, dal buio emergono i contorni della tua amica. Dài, che è mezzogiorno. Ti stiri, lentamente ti si lucidano i pensieri e la vista. E io? Scatti a sedere sul letto. Dov'è? urli quasi. Dov'è chi? chiede la tua amica. Il ragazzo che era con me stanotte, non l'hai visto? un ragazzo alto, coi capelli lunghi... La tua amica scuote la testa: Non so di chi parli, ma lo conosco? Ti guardi intorno: sei mezza vestita – ma quando ti sei vestita? Sei stata in questo letto con me, *a* letto con me... e poi? Se riuscissi a ricordare. Ti alzi, ti infili i jeans. Eppure non me lo sono sognato, era lui, qualcuno *deve* averci visti insieme, noi... Ma "lui" chi? Be', lui... insomma, lui per me è *il* ragazzo, l'unico che... Sicura di non essertelo immaginato? non lo dico per smontarti, ma magari avevi bevuto troppo ed ecco, hai sognato quello che vorresti che succedesse, in fondo se fosse andata come dici lui dovrebbe essere qui, no? Già, dovrei essere qui. Ma magari ti ho detto qualcosa, durante quella fetta di notte tagliata via dalla tua memoria – una frase che ti spiegherebbe perché non sono qui, se la ricordassi. Esci dal fanclub shop: in salone ci sono ancora una decina di relitti che vanno alla deriva, e tu domandi descrivi implori, ma loro ti guardano senza capire, Che ragazzo Lucy? no io mi ricordo che ti ho vista al bar e poi basta, In giardino? può darsi, sì ci siamo incrociate ma sinceramente no, non ho notato nessun ragazzo...

L'ex Fidanzato, sulla porta. Il taglio scalmanato alla Sixties, la faccia lunga di dispiacere. Senti, volevo chiederti scusa per stanotte, sono stato un... Okay okay, non importa, ma tu che hai fatto dopo che me ne sono andata? Niente, me ne sono tornato a casa. E non hai visto che facevo io? No, perché? Lui non capisce. E forse non c'è niente da capire, forse ha ragione la tua amica ed è stato l'alcol. La moto, l'erba fradicia, la notte della perla, io – un'illusione alcolica. Un'eco.

Se vuoi ti porto a casa, propone insicuro il Fidanzato. Lo guardi, guardi il bar. Va bene, ma prima fammi bere un Bloody Mary. Giri dietro il bancone, prepari il cocktail, bevi. Riappoggiando il bicchiere urti una bottiglia, il gin si spande lucido sul piano di alluminio.

Ci immergi le mani.

Era soltanto la luna piena, dici. Togli le mani dal gin, te le passi fra i capelli che diventano subito appiccicosi.

Un'idiota, banalissima luna piena.

Le formiche scappavano cieche

E dire che se le era sempre immaginate in fila. Ordinate. Monotone. Invece, si erano ammucchiate intorno a una macchia. Non intorno a una briciola o a una goccia. Intorno a una macchia di chissà cosa sul bordo del lavandino. Erano cinque. Una volta, il docente di sociologia aveva spiegato che quello composto da cinque elementi è il gruppo ideale, non abbastanza piccolo da provocare gelosie o esclusioni, non abbastanza grosso da mancare di coesione e disciplina. E le formiche erano cinque. Due stavano immobili, la testolina lucida puntata verso la macchia. Due camminavano, percorrevano brevi tratti avvicinandosi alla macchia, allontanandosi dalla macchia. Senza scopo. O con uno scopo troppo complesso per essere intelligibile. Una vagava intorno alle altre, fermandosi saltuariamente a osservarle, si sarebbe detto. Cinque formiche sciolte. Non una fila, né una geometria, né un'origine.

Hart si inginocchiò, ficcò la testa sotto il lavandino. Non vide niente. Il solletico a una caviglia, improvviso e umido, per poco non gli fece sbattere la nuca contro il lavandino. Tirò indietro la testa e si voltò.

«Sì, Djin, adesso ti porto fuori.» Djin scodinzolò. Con la lingua penzoloni, sembrava che sorridesse. Perché i cani non possono sorridere? «Aspettiamo solo che arrivi Emi e poi andiamo, okay?»

Djin scodinzolò ancora. Hart la grattò dietro un orecchio, poi aprì il cassetto dove teneva le buste di plastica e ne estrasse una. Allora, che cosa doveva prendere? La ciotola del cibo e quella dell'acqua – no, meglio prenderle per ultime, insieme alla brandina. La paletta per gli escrementi, una confezione quasi intonsa di sacchetti; la museruola mai usata; il guinzaglio lungo, quello per andare a correre nel parco; tre palline, due ossi di pelle di bufalo mordicchiati, un elefantino di plastica senza proboscide. Poi? I due cappottini per l'inverno; le scatolette di cibo. E la coscia di pollo in frigo, già lessata? Hart prese un contenitore ermetico, ci chiuse dentro la coscia di pollo, la lasciò cadere nella busta. Djin, seduta sotto il tavolo come quando aveva fame, lo guardava. Aveva chiuso la bocca e non sembrava più che sorridesse.

Che altro mancava? L'antipulci, lo shampoo, la spazzola... aprirono la porta. Djin si precipitò all'uscio abbaiando; senza posare la busta, Hart andò incontro a Emi.

«Buongiorno, signore.»

«Buongiorno, Emi.»

Emi entrò, diede un paio di carezze a Djin, poi si tolse l'impermeabile e lo appese all'attaccapanni, insieme alla sua borsa in similpelle. Era così grossa, quella borsa, che Hart ogni volta si domandava come riuscisse a trascinarsela dietro, lei che era così minuta.

«Gesù, non smetterà mai di piovere» si lamentò Emi mentre cercava il suo grembiule e i detersivi nello sgabuzzino. In nove anni che la conosceva, Hart non l'aveva mai sentita contenta del clima. Emi uscì dallo sgabuzzino; lo osservò come se si accorgesse realmente di lui solo in quel momento. «Ma che ci fa con quella busta in mano?»

«Sto raccogliendo le cose di Djin.»

Emi si fermò davanti alla cuccia di Djin. «Povero amore» mormorò, «allora è proprio vero che te ne vai.» Djin sbatté la coda, fiocamente. Come se sapesse. «Per forza» disse Hart con voce piena. «Per forza» ripeté piano.

Ma era tardi: mentre Emi puliva il bagno, Hart si infilò l'impermeabile, poi raccolse le ciotole e prese il guinzaglio.

«Dài, Djin, andiamo a fare un giro.» Djin, con il muso schiacciato sulle zampe anteriori, non si mosse dalla cuccia. «Non volevi fare una passeggiata? E allora andiamo, no?»

Djin abbandonò la cuccia, svogliatamente. Sapeva, sapeva tutto; e lo accettava, perché era lui a volerlo. Ma non era vero che lo voleva, quello che avrebbe voluto era che restasse. Almeno lei. Hart le mise il guinzaglio; poi, mentre prendeva la brandina, chiamò Emi.

«Emi, guardi che ho visto delle formiche in cucina.»

«Formiche?» Emi uscì dal bagno. «E da dove arrivano?» Sparì in cucina. «Io non vedo niente» urlò.

«Be', prima ce n'era qualcuna.» La brandina sottobraccio, la busta di plastica nella mano destra, il guinzaglio nella mano sinistra. «Io vado, Emi.»

Emi uscì dalla cucina, gli si fermò accanto. Si passava le mani sul grembiule, come se le avesse bagnate. Erano asciutte. Si chinò, raccolse la coperta di Djin, la piegò. «Le piace tanto, questa coperta» mormorò, spingendola nella busta di plastica. «Ciao, piccolina.» Diede altre due carezze a Djin, le sue carezze solide, spicce, da persona che non ha tempo per dire l'amore. Guardò Hart con gli occhi lucidi. «Magari metto del borotalco, per le formiche.»

Hart le appoggiò appena le labbra sulla fronte – dovette chinarsi, per farlo. «Faccia lei.»

Hart uscì, la brandina e la busta e il guinzaglio che pesavano come mondi sulle sue friabili spalle.

Aveva smesso di piovere e Djin non voleva salire in macchina e il cellulare squillava. Djin sapeva, capiva, e a chiamarlo era Kitty. Hart appoggiò la fronte al tetto dell'auto. Forse non sarebbe mai più riuscito a sollevarla.

«Ciao.»

«Ciao... disturbo?»

Due persone condividono undici anni di vita, si ammalano nello stesso letto, defecano nello stesso water, e poi si domandano se *disturbano*.

«No.»

«Come stai?»

«Solito. Tu?»

«Bene.» Il respiro di chi dà una boccata alla sigaretta, e Hart poteva vederla, così vicina da essere investito dal fumo. «Senti, è oggi che... che Djin se ne va, giusto?»

«Sì.»

«Vorrei... posso vederla?» Altra boccata, e Hart sapeva che intanto lei si guardava la mano che teneva la sigaretta, e forse con l'indice stuzzicava il piccolo callo all'interno del medio.

«Vedere Djin significa vedere me.»

«A me va bene. Sempre che a *te* vada bene vedere *me*, Hart.»

«Non c'è problema.»

«Sicuro?»

«No. Dove ci vediamo?»

«Al Café Einstein, se sei d'accordo.»

Non aveva detto *al solito posto*, almeno.

«Quando?»

«Fra mezz'ora?»

«Okay.»

Hart rimise in tasca il cellulare. No, non ce l'avrebbe mai fatta a risollevare la fronte dal tetto dell'auto – ma la risollevò, e quasi gli venne da ridere all'immagine di se stesso così, un uomo che parlava al cellulare accasciato contro una macchina. Forse ne avevano riso anche i passanti. Non un cane che si fosse fermato, però. Hart si passò le mani sulla faccia, prese in braccio Djin e la depositò sul sedile posteriore. Non un cane che si fosse fermato... errore, un cane si era fermato: a casa sua, per più di due anni. Ma presto neanche Djin ci sarebbe più stata.

Ovviamente Kitty c'era già.

La sua abitudine a essere in anticipo: tu arrivavi e la trovavi lì, già padrona del contesto e in diritto di prendersela con te perché l'avevi fatta aspettare. E tu non potevi che sentirti inadeguato, e scusarti anche se eri puntuale. Lei in credito e tu in debito, lei in alto e tu in basso.

«Ciao» la salutò Hart. In undici anni, almeno, aveva imparato a non scusarsi, per quanto il senso di inadeguatezza lo opprimesse ancora. Ma forse era solo perché non la vedeva da troppe settimane.

«Ciao... Djin, tesoro!» Kitty si chinò su Djin, si lasciò leccare il mento. «Ti sono mancata, amore? Sì, vero? Anche tu mi sei mancata. Tantissimo.» Mentre Djin le masticava una mano, Kitty alzò gli occhi su Hart. «Allora è deciso? La porti via?»

«Non posso fare diversamente.»

«Ma ti mancherà.»

Hart rivide Djin con il muso premuto sulla sua coscia, sveglia due notti e due giorni ad aspettare con lui che Kitty tornasse.

«Non posso fare diversamente.»

Kitty si sollevò.

«Vado a lavarmi le mani e la faccia. Mi ordini il solito, intanto?»

Il solito. L'aveva detto, alla fine. Hart la seguì con lo sguardo mentre andava alla toilette. Una delle rare occasioni in cui Kitty si sentiva vulnerabile: attraversare una sala affollata, tra persone che la osservavano sapendo dove lei stava andando – a espletare una bassa funzione corporale.

«Andiamo, Djin» disse quando Kitty fu scomparsa in bagno. Tirò il guinzaglio, Djin si impuntò sulle zampe. «Eddài, muoviti.» Djin lo guardava con un'espressione di dispiaciuto ma fermo rifiuto. Come se scuotesse il capo. Hart diede un altro strattone al guinzaglio, senza forza. «Djin, non posso spiegarti, non...» Una coppia seduta al bancone li osservava – la donna osservava il cane, l'uomo osservava l'uomo. «Kitty non può venire con noi, va bene?»

Djin si impuntava ancora – e allora Hart la prese in braccio e uscì in fretta dal Café Einstein e corse alla macchina, pensando che non aveva spiegazioni da offrire a Djin, pensando che l'unica differenza tra lui e Djin era la sua consapevolezza che a volte una spiegazione non c'è.

Il viaggio era stato tranquillo. Breve, nonostante gli fosse parso eterno. Djin si era raggomitolata sul sedile accanto al suo, ogni tanto gli aveva rivolto uno sguardo rassegnato; lui aveva guidato senza accendere l'autoradio, concentrato sull'odore di freschino che il pelo di Djin emanava quando pioveva. Adesso erano nel salotto di Max. Un salotto poco accogliente, da ostello della gioventù, arredato con mobili spaiati e distribuiti a caso, ma pulito. Djin gli aveva fatto le feste, a Max, ma ora si teneva accanto a Hart, seduta con le orecchie indietro, tesa. Hart ri-

girava tra le mani il bicchiere di birra, e più lo rigi-
rava più la birra si scaldava, più la birra si scaldava
meno lui la beveva; e continuava a rigirare tra le
mani il bicchiere. Max era seduto a gambe incrociate per terra, abbastanza vicino a Djin, non troppo vicino a Hart. Un rubinetto che perdeva scandi-
va l'imbarazzo.

«Io... cioè, lo so che è banale dirlo così, ma non
so come ringraziarti» disse Max infine. «Sei stato...
be', grande. Sul serio. Voglio dire, non so chi avrei
trovato che teneva un cane non suo per più di due
anni.»

Un cane non suo.

«Nessun problema» disse Hart posando la birra.
Si alzò. «Devo andare.»

Max si alzò a sua volta. «Di già?»

Perché, che cosa aveva da fare lì? Guardare Djin,
soffrire per Djin, sapere di dover imparare a soffrire *senza* Djin.

«Devo andare.» Hart si assestò nelle spalle. Anche
Djin si era alzata, e lo fissava scodinzolando nervo-
sa. «Comunque, nella busta ti ho messo tutte le cose
di Djin.»

«Fantastico.» Max si grattò la nuca. «Fantastico,
le cose di... be', se devi già andare sarà il caso che
ti paghi.»

«Pagarmi?»

«Sicuro. Cioè, hai badato al mio cane per più di
due anni, te ne dovrò di soldi, no?»

Hart si accoccolò di fronte a Djin; lei gli appoggiò le zampe anteriori sulle ginocchia, si sporse ver-

so di lui come se volesse guardarlo meglio negli occhi, per capire quello che stava succedendo. Hart le sfilò il guinzaglio, la grattò sotto il mento.

«Non mi devi niente» disse. «E se provi a insistere, giuro che me la riporto via.»

Max si grattò di nuovo la nuca, si ficcò le mani in tasca.

«Okay» bofonchiò, «okay. Comunque, puoi tornare a trovarla quando vuoi, sai.»

Le feste di Djin sempre meno intense, sempre più diffidenti. E non poterle mettere il guinzaglio per tornare a casa insieme. Hart si sollevò.

«Devo andare.»

Uscirono dal salotto, Hart raccolse l'impermeabile. Djin cominciò a guaire. Hart si infilò l'impermeabile. Djin si mise fra lui e la porta.

«Togliti, Djin» disse Max.

«Dài, Djin» disse Hart, «togliti di lì.»

Ma Djin prese a guaire più forte, a saltargli addosso, e Hart dovette prenderla in braccio, e stringerla, e affondarle la faccia nel pelo del collo – finché non sentì che fra un attimo non avrebbe più potuto staccarsi da lei, e allora la mise sgarbatamente in braccio a Max e scappò da quell'appartamento da quel palazzo da quella città, con il volume dell'autoradio troppo alto. Ma neanche così riusciva a non sentire i guaiti di Djin.

La cena è nel forno. Non ho trovato formiche ma ho messo comunque del borotalco intorno al lavandino. Si faccia coraggio per Djin. Emi.

Mentre si sfilava l'impermeabile, Hart lesse il foglietto che Emi gli aveva lasciato sul tavolino del telefono. Andò in cucina: intorno alla macchia c'erano ancora, o di nuovo, alcune formiche. Le stesse di qualche ora prima? Altre passeggiavano tra i fornelli. Altre ancora erano entrate nel cesto di frutta, mele e banane brillavano di granelli scuri come se fossero cadute nella sabbia bagnata e nessuno le avesse ripulite. Ancora nessuna fila, nessuna geometria, nessuna origine. Hart afferrò il cesto, lo buttò nella pattumiera con tutto il suo contenuto, poi prese una spugnetta, aprì l'acqua e iniziò a pulire furiosamente il lavandino e i fornelli. Le formiche scappavano cieche, alcune venivano travolte dall'acqua e scivolavano nello scolo, altre schiacciate dalla spugnetta si spappolavano in una riga nera come grafite sulla ceramica.

Hart continuò a sfregare e sciacquare, a sciacquare e sfregare finché non ebbe sterminato ogni formica e cancellato ogni traccia da lavandino e fornelli, poi si fermò ansante.

Non c'erano più insetti, eppure era come se lavandino e fornelli brulicassero ancora di una vita microscopica, frenetica, immotivata.

Hart gettò la spugnetta, si rimise l'impermeabile e uscì.

«Ciao.»

Hart smise di contemplare la spuma della sua birra e alzò gli occhi: una ragazza carina gli sorrideva. Teneva le mani incrociate dietro la schiena e sembrava imbarazzata, per quanto decisa.

«Ciao.»

«No, scusa, non sono molto portata per queste cose, ma... ecco, appena sei entrato ho pensato che ti avrei dato volentieri la mia carta di credito, pur di... e quindi sono venuta a chiederti se vuoi la mia carta di credito.»

La ragazza gesticolava molto, mentre parlava. Una versione femminile di Charlie Chaplin. Molto più carina, però. E senza baffi. Hart sorrise.

«Prima potresti sederti con me» disse.

Lei si sedette, gli tese una mano.

«Io sono Natalia.»

«Io sono Hart.»

«Mi sarebbe piaciuto offrirti una birra, ma visto che ce l'hai già ne offro una a me stessa.» Fece una smorfia. «Tanto per mostrarti le strabilianti possibilità della mia carta di credito.»

Natalia richiamò l'attenzione di un cameriere, gli gridò di portarle una birra. Si voltò verso Hart.

«Giurami che adesso non spunta dalla toilette la tua fidanzata che è andata a farsi un tiro di coca e sono la ragazza più felice del mondo.»

Chissà perché Natalia aveva detto «a farsi un tiro di coca» e non «a incipriarsi il naso». Forse una spiegazione c'era. Comunque non era importante. Gran cosa, le spiegazioni poco importanti, così poco importanti che a nessuno interessano. Hart bevve un sorso di birra.

«Non ho una fidanzata» disse. «Tu?»

«No, una fidanzata non ce l'ho nemmeno io» disse Natalia. Hart sorrise, e lei continuò: «Oddio, ho sempre pensato che piuttosto di baciare un uomo orrendo bacerei una bella donna, ma preferisco i fidanzati maschi.»

«E ce l'hai, un fidanzato maschio?»

Il cameriere arrivò con la birra, Natalia ne bevve un sorso.

«Non sei tu, il mio fidanzato?»

«Io la tua carta di credito non l'ho ancora vista.»

Natalia allargò le braccia.

«Lo confesso, era una scusa per attaccare discorso. L'ho lasciata a casa. Che guaio, eh? Però ho qualche soldo e la patente. Potrei darti i soldi. La patente non credo ti serva, no?» Natalia appoggiò il mento sulle mani. «O forse sì. Non hai l'aria molto allegra, magari se vedi la mia fototessera ti fai una bella risata.»

Hart sorrise ancora. Era simpatica, Natalia. E gli ricordava... chi gli ricordava?

«Sei simpatica» disse.

«Peccato. Un uomo dice che è simpatica solo a una donna che non gli piace.»

«Be', non è detto.»

«Sicuro?» Natalia si sollevò. «Okay, allora pensa alle donne che hai amato. Anzi, alle donne che hai desiderato di più. Te ne fregava qualcosa che fossero simpatiche? Le desideravi *anche perché* erano simpatiche?»

«No.»

«Appunto.» Natalia fece una smorfia amara. «Quindi, immagino che nemmeno la mia carta di credito ti interessi molto.»

159

«No, temo che... mi spiace, non è serata.»

Natalia aveva gli occhi castani. Buoni e limpidi come – come quelli di Djin. Si alzò.

«A parte tutto» disse, «credo sul serio che tu abbia bisogno di qualcuno che ti faccia ridere.»

«Mi faccio abbastanza ridere da solo.»

Natalia scosse la testa, si allontanò. Mi faccio abbastanza ridere da solo. O piangere? Hart ordinò un'altra birra.

Ordinò un'altra birra, e un'altra, fino a smettere di contarle.

Faticando a estrarre le banconote dal portafoglio, pagò; poi uscì dal locale. Aveva, più che la sensazione, la certezza di essere inclinato da un lato e di muoversi verso sinistra, invece di andare dritto, come un carrello del supermercato con una ruota bloccata. Ma aveva anche la certezza di non poterci fare niente. E davanti agli occhi gli si ingarbugliavano un po' troppe luci e figure per essere tutte reali. Comunque, la sua auto doveva essere nella terza corsia del parcheggio. O nella settima. Suppergiù. Bastava cercare. Sempre che il suo corpo si rassegnasse a muoversi in accordo con la sua volontà. Sempre che i nodi di luci e figure che aveva davanti agli occhi si sciogliessero.

La fila era la quarta. E davanti alla sua auto ce n'era un'altra che ne ostruiva l'uscita. O era un'allucinazione, la seconda macchina? Forse ci vedeva doppio. Ma si può vedere la stessa macchina parcheggiata in due modi diversi, e di due colori diversi, e di due marche diverse? Difficile. Specie se l'allucinazione comprende alcune persone.

Ehi, devo uscire! disse Hart. Ma anche la sua lingua si rifiutava di scollarsi dal palato e di articolare dei suoni comprensibili. Le figure della sua allucinazione parvero non sentirlo. Devo uscire! Le figure si accorsero di lui, ma non si mossero. Forse non avevano capito. In fondo non dev'essere semplice, rendersi conto di essere l'allucinazione di qualcun altro. Che hai detto? chiese una. Non erano un'allucinazione, allora, le allucinazioni non parlano a chi le ha. Forse. Devo uscire! Le figure lo guardarono stralunate. Questo è fradicio, rise un'altra. No, non erano un'allucinazione, anzi: erano abbastanza reali da prenderlo in giro. Erano un gruppo di ragazzi, e lui li faceva ridere. Certo che li faceva ridere. Quindi Natalia si era sbagliata: se era lui che faceva ridere, nessuno avrebbe fatto ridere lui. Chi mai si preoccupa di risollevare il morale a un clown? Hart sferrò un pugno, ma non colpì che l'aria: calcolare le distanze era una faccenda troppo complessa, al momento. Ehi, datti una calmata!, un ricciolino gli si avvicinò, datti una calmata, okay? Io sono calmo!, Hart gli diede una spinta, io sono cal Oh, giù le mani!, il ricciolino fece un passo indietro, ma chi ti, non poté finire la frase perché Hart lo aveva afferrato per il golf, Ti faccio ridere, eh? di' la verità che ti faccio ridere! E piantala, stronzo!, un butterato lo staccò dal ricciolino, sei ubriaco marcio, perché non te ne vai a casa a smaltire la sbornia?, Hart si voltò verso di lui e provò a colpirlo ma il suo pugno non ammaccò che un po' d'aria, e fu il butterato a colpirlo, Hart cadde a terra, l'asfalto gli sbucciò le nocche, Ma chi ti credi di essere, coglione?, il ricciolino gli assestò un calcio in un fianco, eh? arrivi qui completamente sfatto e ti metti a tirar pugni!, gli diede un altro calcio, stronzo, vattene a Lascialo stare, lo riconosco!, si era fatto avanti un bassetto, lo riconosco, è un attore!, Hart si era rannicchiato su un fianco, si massaggiava dove il butterato lo aveva colpito, Un attore questo qua? Massì, fa quella serie in tivù, quella degli avvocati che Però è vero, anche a me mi pare di averlo già visto Te l'ho detto, è un attore! stavamo per pestare un attore! Va be', ma è lui che Okay, okay, lasciamo perdere Tanto mica l'abbiamo pestato sul serio, no? andiamocene, e chi s'è visto s'è visto Sì, bravo! e lo lasciamo qui per terra, in 'sto stato?

Il bassetto si chinò su Hart. Ehi! Come ti senti? Hart non rispose. Ti accompagno a casa, se vuoi, hai la macchina? Hart accennò con il mento verso la sua auto. Guarda che quella è la *nostra* mac... quella dietro! ecco che cosa voleva! Il bassetto si rivolse agli altri. Spostate la macchina, che quella dell'attore sta dietro! Il bassetto aiutò Hart a rialzarsi, gli altri spostarono la macchina. Ce la fai a salire? Hart accennò di sì, gli porse le chiavi. Il bassetto gli aprì la portiera, e Hart si lasciò tonfare sul sedile. L'altro si sedette al posto di guida, mise in moto. Dove abiti? gli chiese. Hart gli diede l'indirizzo. E mentre uscivano dal parcheggio, sulla porta del locale gli parve di vedere Natalia. O Djin.

Il bassetto lo aveva guidato in casa, lo aveva vegliato mentre vomitava, gli aveva preparato un caffè e ora sembrava che aspettasse ordini. Servizievole ed efficiente come Emi. E più o meno della stessa statura.

«Stai bene?» gli chiese.

«Io?... Sì. Sì. Grazie per... per avermi accompagnato. Sei stato molto gentile.»

Il bassetto si stropicciò le mani. Aveva un'aria indecisa.

«Senti, non è che... cioè, me lo fai un autografo?»

Doveva scoppiare a ridere? Nel dubbio, tanto valeva firmare l'autografo.

«Altroché.» Hart cercò premuroso un foglio, lo trovò sul tavolino del telefono, sotto il messaggio di Emi. *Si faccia coraggio per Djin.* Impugnò una biro. E adesso come firmava? Esitò per un attimo, poi scrisse Lewis Carroll.

«Ah, ecco come ti chiami!» disse il bassetto quando lesse la firma. «Scusa se non me lo ricordavo, è che... oh, me la aggiungi una dedica? Eh?» Gli tese il foglio. «Una cosa semplice, tipo "A Jim con simpatia". Okay?»

Hart prese il foglio, aggiunse la dedica. A Jim con simpatia. A Jim. A Djin. Restituì il foglio al bassetto.

«Grazie, Lewis... posso chiamarti Lewis?»

«Come no.» Hart infilò i pollici nelle tasche posteriori dei jeans. «Ascolta, Jim... hai mica visto formiche in giro, quando hai fatto il caffè?»

«Formiche? No, proprio no.»

«Bene.»

Jim abbassò gli occhi sull'autografo, lo piegò e lo mise in tasca.

«Allora io vado» disse.

«Okay.»

«Be'... » Jim alzò le spalle. «Ciao, Lewis. Alla prossima, okay?»

«Okay.»

Jim uscì. Hart restò dov'era, immobile, ad ascoltare i passi giù per le scale, poi andò in cucina.

Le formiche sciamavano sul pavimento, sugli elettrodomestici, sulle pareti. Così tante che parevano un'unica sabbia mobile, un unico corpo scuro percorso da brividi di febbre.

Hart guardò le formiche sul pavimento, sugli elettrodomestici, sulle pareti. Gli parve di sentirne i passetti sulla ceramica, la vibrazione delle antenne, le zampette che si sfregavano sugli addomi.

Hart guardò le formiche, si lasciò cadere per terra, si coprì gli occhi con una mano. E mentre le formiche cominciavano ad arrampicarglisi su per le gambe, pianse.

Qui è l'inferno

La notte filtrava morbida attraverso la porta-finestra. Sul tavolo di cucina c'erano ancora le tazze della colazione, i coltelli sporchi di briciole e marmellata, una fetta morsicata di pane, un avanzo di ricotta che si era ingiallito durante il giorno.

Lui, seduto in faccia alla luna, si era versato del gin nell'unico recipiente pulito che aveva trovato, il bollitore per il tè. Lei, le spalle alla notte e una bottiglia d'acqua che le inumidiva le mani, lo guardava.

Tu credi che le coincidenze siano solo questo? disse lui; voglio dire, credi che esista una qualche energia invisibile fra le persone, o delle forze ingovernabili, o sovrannaturali? Lui teneva una gamba raccolta al petto, il bollitore appoggiato sul ginocchio. Lei gli guardava il ginocchio. Forse, gli rispose. Lui bevve un sorso di gin. E non ti è mai capitato un evento strano, inspiegabile, eppure reale, inconfutabile? Fu lei a bere un sorso d'acqua. La bottiglia di plastica, svuotandosi, si strizzò rumorosamente, si ridistese quando lei smise di bere.

Una volta, disse, una volta mi è capitata una cosa inspiegabile eppure inconfutabile. Otto anni fa, una notte di novembre. Un paio di mesi prima, in un incidente era morto un mio ex, Giorgio, un ragazzo con cui avevo avuto una breve storia quando ero adolescente. Era finita male quella storia, per colpa mia... l'avevo trattato così brutalmente, e senza una ragione. Eppure mi piaceva, e mi ero pentita quasi subito di averlo ferito e di averlo perso tanto stupidamente. Ma chissà perché non avevo trovato il coraggio di chiedergli scusa, non trovai *mai* il coraggio di chiedergli scusa, nemmeno negli anni che seguirono. Non mi restò che il rimpianto di un'occasione sprecata. Giorgio era così bello, così in gamba. Morì in un incidente, a ventidue anni. E il rimpianto da allora è diventato rimorso.

Lui ascoltava rigirando il bollitore fra le mani, la notte morbida gli faceva una pelle di latte. Lei beve un altro sorso d'acqua.

Comunque, riprese, quella notte di novembre ero uscita con il mio fidanzato, e avevamo litigato. Avevamo litigato perché io non ero riuscita a non parlare della morte di Giorgio. Avevo pianto, anche, e il mio fidanzato era stanco di vedermi piangere per un altro. Diceva che a dargli fastidio era la mia debolezza, la mia incapacità di reagire al dolore che quella perdita mi aveva procurato, ma io sapevo che la sua era gelosia. Era gelosia perché soltanto la morte impediva a Giorgio di essergli rivale; e perché in quei giorni i miei pensieri appartenevano a un altro, a uno che per di più si permetteva quell'ultima beffa, essere morto. Così litigammo e io tornai a casa prima del solito. Per strano che fosse, quel litigio non mi aveva comunicato sentimenti nei confronti del mio fidanzato, non mi sentivo né in colpa né in collera con lui. Quello che provavo era una fortissima, dolorosa necessità di tornare indietro nel tempo, all'epoca in cui avevo ferito Giorgio, per non ferirlo più. Andai a letto che ancora sentivo quella necessità, e mentre aspettavo invano il sonno quella necessità divenne quasi un'urgenza: il mio bisogno di tornare indietro nel tempo era talmente intenso che restare aggrumati al presente mi pareva quasi impossibile, come se quell'intensità fosse troppa per non incidere in qualche modo sulla normale dimensione spazio-temporale.

Lui aveva smesso di rigirare il bollitore fra le mani e la fissava, gli occhi larghi nella luce lunare.

Fu allora che lo sentii, continuò lei. Ero a letto, con gli occhi chiusi ad aspettare il sonno che non arrivava, e sentii qualcuno sedersi sul letto. Avrei dovuto pensare che fosse uno dei miei genitori, che mia madre si fosse accorta della mia insonnia e fosse venuta a vedere che cos'avevo. Ma sapevo che era lui, Giorgio. Lo sapevo e non mi pareva strano saperlo, come se il fatto di avere un morto seduto sul mio letto fosse così naturale da non dover essere nemmeno notato. Lui mi strinse la mano, e sorrise. Sorrise, sì, anche se non lo guardavo – forse avevo una remota coscienza del fatto che sarebbe svanito, se avessi aperto gli occhi – *sapevo* che mi stava sorridendo, lo sapevo come so che un giorno anch'io sarò morta. Sapevo che mi stava sorridendo e sapevo che mi stava perdonando, che il suo sorriso e la sua mano sulla mia non erano che questo, il suo perdono. Non appena ebbi questa consapevolezza, lui se ne andò. E io mi addormentai.

L'acqua era quasi finita, ne bevve gli ultimi sorsi. Anche lui bevve un sorso di gin.

A me non è mai successo niente di simile, disse lui, niente che potessi definire sovrannaturale. Però? lo incalzò lei, se mi hai fatto quella domanda sulle coincidenze vuol dire che ne hai vissuta una strana sulla tua pelle. Lui si strinse nelle spalle, contemporaneamente piegò la testa di lato.

Be', una sera ero con Tommaso, a casa sua; eravamo un po' come siamo noi adesso. Come siamo, noi, adesso? si domandò lei. Era notte e bevevamo l'ultimo bicchiere. C'era l'atmosfera adatta per raccontare, e allora io gli raccontai quello che mi era capitato poche notti prima a Vienna. Ero là per lavoro con Arturo, raccontai a Tommaso, e avevamo finito tardi: tra una lunga riunione, un aperitivo e la cena, quando ci ritrovammo da soli era mezzanotte passata. Eravamo entrambi stanchi, esausti direi, ma non avevamo voglia di tornare in hotel. Non avevamo sonno, e comunque sentivamo il bisogno di staccare dalla routine lavorativa. Così ci aggirammo per le vie del centro e per i bar finché non chiusero, e quando anche gli ultimi locali chiusero, uno dopo l'altro, continuammo ad aggirarci. Non eravamo ubriachi, per lo meno non abbastanza da sentire che era ora di tornare in albergo, ma lo eravamo abbastanza per non avere sonno. E per avere necessità di urinare, anche: era da quando ci avevano fatti uscire dall'ultimo locale che Arturo aveva detto di dover andare in bagno, e dopo un quarto d'ora che bighellonavamo per il centro lo ripeteva con un'insistenza fastidiosa. Ovviamente, se non c'erano locali aperti non c'erano neanche toilette, e visto che ormai si stringeva le mani fra le cosce per resistere, Arturo decise di farla nel primo angolo buio che gli fosse sembrato adatto. In realtà, per Arturo qualunque angolo sarebbe stato adatto, anche se non fosse stato buio: era arrivato a quella condizione in cui non si pensa a nient'altro che alla propria impellente necessità. E il primo "angolo adatto" che aveva individuato era contro una casa accanto alla cattedrale di Santo Stefano. Era un ritaglio di notte così puro, in quella piazza. Una notte di cristallo, con il cielo così freddo e carico di stelle che non mi sarei stupito se a un certo punto le stelle avessero cominciato a cadere sotto forma di fiocchi di neve, come se fossimo racchiusi in una palla di vetro nelle mani di un dio bambino. E non potevo, non *dovevo* permettere ad Arturo di sporcare di urina quell'atmosfera, perciò lo pregai di trattenersi ancora per qualche minuto, finché non avessimo trovato un vicolo più riparato, e lo trascinai via dalla piazza – fuori dalla palla di vetro.

Fummo fortunati, o meglio, fu fortunato Arturo. Subito infilammo un breve vicolo cieco, e subito lui corse in un angolo in fondo. Sorrisi sentendo il suo sospiro di sollievo, che precedette di una frazione di secondo uno scroscio più che ragguardevole, e visto che lo scroscio proseguiva senza perdere di intensità, cercai di distrarmi guardandomi intorno. La mia attenzione fu attirata da una freccia rossa luminosa, appesa sul muro che rendeva cieco il vicolo: recava la scritta al neon *Here is Hell* e indicava una ferita nell'asfalto, un buco tondo protetto da uno snello corrimano di ferro. Mi affacciai sul corrimano: una ripida scala a chiocciola, in ferro anch'essa, si avvitava nell'oscurità. La freccia rossa e la scritta *Here is Hell* le sentivo illuminarmi una guancia, e non mi sarei stupito se mi avessero detto che quegli scalini conducevano sul serio negli inferi. In qualche modo mi inquietava, quella ferita della crosta terrestre che lasciava intravedere un lembo di mondo ultraterreno, eppure non riuscivo a staccare gli occhi dagli scalini, che continuavo a contare e ricontare, come se a ogni conteggio potessi indovinarne uno in più nel buio, e avvicinarmi un gradino di più all'inferno.

Fu la voce di Arturo a riscuotermi. Aveva finito, potevamo andare. Mi voltai verso di lui: si stava tirando su la cerniera dei pantaloni e aveva un'espressione beata sul viso. Fu come riscuotersi da un incubo, e mi staccai dal corrimano per seguirlo verso l'uscita del vicolo. Ma non avevamo fatto che pochi passi quando sentimmo un rumore alle nostre spalle. Ci fermammo entrambi. Qualcuno stava risalendo gli scalini di ferro, e i suoi passi risuonavano nel vicolo come rintocchi di campane. Campane che proclamavano un ritorno dal regno dei morti, avrei detto, e che né io né Arturo riuscimmo a ignorare: ci girammo tutti e due verso la freccia rossa *Here is Hell* e aspettammo.

Apparve a mezzo busto un vecchio, vestito da cameriere d'altri tempi. Magro, eretto e dignitoso come se il senso del dovere gli impedisse di accettare gli acciacchi. Senza oltrepassare il corrimano, sospeso a metà fra la terra e l'inferno, ci guardò senza sorpresa, e allora compresi: era lì *per noi*. Come avesse saputo, o forse *avvertito*, che eravamo in quel vicolo, non lo saprò mai. So soltanto che, nell'incongruità romanzesca del momento, quel fatto non era più inverosimile di tutto il resto. Non abbastanza, almeno, per soffermarvi il pensiero.

«Se i signori gradissero scendere» disse.

Se non fosse stato proprio per l'incongruità romanzesca di tutta la situazione, immagino che io e Arturo saremmo scoppiati a ridere. Ma non ridemmo. Rimanemmo a fissare quel vecchio in livrea al quale sembrava del tutto naturale sbucare dall'aldilà in un vicolo di Vienna e invitare due turisti un po' alticci a seguirlo nel luogo da cui era tornato al mondo.

«Immagino desideriate buon vino e buona compagnia» specificò. «Se avrete la cortesia di seguirmi, potrete godere dell'uno e dell'altra.»

Forse avremmo dovuto rifiutare di seguirlo. Ma *potevamo* rifiutare? Senza neppure consultarci con lo sguardo, io e Arturo ci incamminammo verso la

freccia rossa. Non appena si avvide che ci appresta-
vamo a seguirlo, il vecchio in livrea ci diede le spalle e iniziò a ridiscendere i gradini. A nostra volta, io
davanti e Arturo dietro, iniziammo a discendere i
gradini.

Iniziammo a discendere.

E per un attimo, pensai che forse stavo moren-
do, e che forse la morte era così, un sogno gentile
e inconsapevole. Ma fu solo un attimo, perché dopo
pochi scalini le tenebre che avevo creduto o voluto credere infernali si diradavano, compenetrate da
una luce dapprima soffusa, e poi più chiara a mano
a mano che continuavamo a scendere. Quando
giungemmo al termine della scala, il vecchio in
livrea si scostò e con un gesto del braccio ci invitò
ad accomodarci in quello che si rivelò essere un
salone lungo e stretto, percorso per i due terzi di
uno dei due lati maggiori da un bancone e cospar-
so di tavolini. La freccia rossa e la scritta *Here is
Hell* non indicavano che un bar, un locale vecchio
forse quant'era vecchia Vienna. Un locale che avresti detto aperto la notte non per una scelta gestio-
nale, quanto perché il suo proprietario e le sue
regole erano spariti dalla notte dei tempi. Aperto
per dimenticanza, insomma, aperto per oblio. E nel-
l'oblio, anche: non c'era molta gente, allo *Here is
Hell*. A parte il vecchio in livrea, che doveva rico-
prire un ruolo anch'esso dimenticato come il portiere o il caposala, e un barman e un cameriere
entrambi di mezz'età, nel locale c'erano solo tre
persone. Una coppia a un tavolo, troppo giovane e

sportiva per quel posto, e una donna sulla quaran-
tina seduta al bancone. Il bicchiere in mano, le gambe accavallate, l'aria di saperne troppo della vita,
pareva la figura di un quadro, una prostituta o
entrambe le cose.

«Preferite accomodarvi a un tavolo o al bancone?»
ci domandò il vecchio in livrea, mentre con gesti
appena percettibili ci liberava delle giacche.

Guardai la prostituta uscita da un quadro, guardai Arturo.

«Al bancone» risposi.

«Troverete in Nina una gradevolissima compagnia,
allora» concluse impassibile il vecchio in livrea, e si
allontanò con le nostre giacche.

A quel punto del racconto mi interruppi, le disse lui, perché Tommaso aveva avuto un piccolo sus-
sulto e credevo volesse dirmi o domandarmi qualcosa. Invece mi disse soltanto: Continua. Continua,
disse lei.

Dunque, ripresi, ci sedemmo accanto a Nina, riat-
taccò lui dopo aver bevuto un sorso di gin dal bollitore. In verità io mi sentivo in imbarazzo, non avevo mai abbordato prostitute, sempre che Nina fosse una prostituta. Arturo, dal canto suo, era troppo
impegnato a guardarsi intorno e a capacitarsi della
bizzarria in cui ci eravamo cacciati, per occuparsi di
Nina – che del resto sedeva accanto a me e non a
lui. «Sembra di essere nell'albergo di *Shining*» fu tutto quello che Arturo disse.

«Che cosa gradiscono i signori?» intervenne il
cameriere.

Che cosa gradivamo? Forse avrei dovuto chiedere a Nina che cosa avrebbe gradito lei, dopo aver finito quello che stava bevendo.

«Credo che in una situazione simile l'unica sia bere dello champagne» mormorai incerto.

«Una situazione simile a che cosa?» domandò Nina guardandomi. Mi resi conto che mi rivolgeva quella domanda non con sarcasmo, ma con genuina curiosità. E aveva gli occhi più ardenti e scuri che io avessi mai visto.

«Simile a un romanzo» fu l'unica, banale risposta che mi riuscì di darle.

«Simile a un film» mi corresse Arturo, che doveva aver captato almeno la mia risposta alla domanda di Nina. «*Shining*, per l'esattezza.»

Nina si guardò intorno, con l'espressione di chi sta provando a considerare qualcosa che gli è noto sotto un punto di vista nuovo. Poi sorrise, il sorriso schietto e disteso di chi scopre che può riservare delle piacevoli sorprese, di quando in quando, considerare le cose note da un nuovo punto di vista.

«Hai ragione» disse, poi scosse la testa. «Dio santo, *Shining*» mormorò. Poi svuotò d'un fiato il suo bicchiere e ce ne fece notare la vuotezza. «Pensate che potrei bere un po' del vostro champagne?» disse.

Così incominciammo a chiacchierare e a bere champagne con Nina, e continuammo a chiacchierare e a bere champagne con lei per tutta la notte, o almeno per la parte di notte che rimaneva, anche quando la coppia troppo giovane e sportiva se ne fu andata, senza che nessuno dei tre che lavoravano allo *Here is Hell* provasse mai a dirci che dovevano chiudere.

Era una persona che non riuscivo a classificare, Nina. Non appena l'avevo vista, avevo creduto di essermi scontrato con lo stereotipo della prostituta non più nel fiore degli anni. Una donna segnata dalla vita, amaramente cinica, capace di liquidarti con l'ironia, troppo consapevole del mondo e di se stessa per stupirsi di alcunché. Ne aveva l'aspetto, di quello stereotipo. Non era bella, ma aveva un fascino piuttosto raffinato che il declino degli anni rendeva più acuto. Se fossimo stati, come pensava Arturo, in un film, probabilmente a interpretare Nina ci sarebbe stata Jeanne Moreau. Eppure, nonostante le apparenze, Nina era tutt'altro tipo di donna. Era gioiosa, divertita. Sembrava non esistere nulla indegno del suo interesse; nulla che lei non avrebbe respirato a pieni polmoni pur di sentire che l'ossigeno le scorreva nel sangue. Ascoltava e guardava come se stesse mangiando, e credo che fosse esattamente ciò che faceva. Si nutriva di quanto le accadeva intorno, con l'ingordigia di chi sente che per vivere bisogna nutrirsi non solo di cibo, ma anche della vita altrui. Era entusiasta ai limiti dell'ingenuità, ma non era fastidiosa, anzi. Aveva un'invidiabile capacità, chissà se innata o acquisita, di farti sentire intelligente. Ed era simpatica, lo era sul serio.

Ma era, sul serio, una prostituta? Non riuscivo a

capirlo; né osai chiederglielo. In fondo, non mi interessava sotto quel profilo. Non la trovavo né brutta né indesiderabile, ma era come se da quell'incontro e da quella notte fosse esclusa la dimensione erotica. Anzi, doveva essere la prima volta che nemmeno mi sfiorava l'idea di considerare una donna da quel punto di vista. Io e Arturo bevemmo con lei bottiglie e bottiglie di champagne, ridemmo e parlammo con lei per ore e ore, in quel locale dov'era impossibile conservare una nozione dello scorrere del tempo – non c'erano finestre e l'ingresso era troppo lontano da noi, metri e metri su dalla scala a chiocciola, perché potessimo intuire se fosse notte o giorno. Ma nessuno dei due – neppure lui, potrei giurarlo – pensò di proporre a Nina di proseguire la serata altrove e in altro modo. E quando finalmente il barista ci disse che era ora di chiudere – come lo sapeva? apparentemente non c'erano orologi, allo *Here is Hell* –, pagammo lo champagne, salutammo Nina senza darle un bacio né strapparle un appuntamento, ci lasciammo infilare le giacche dal vecchio in livrea e risalimmo gli scalini che conducevano alla superficie del mondo.

Fuori, aveva albeggiato. Quando dal vicolo ci riaffacciammo sul corso principale, c'erano già alcuni passanti, probabilmente garzoni e commercianti che di lì a poco avrebbero incominciato un nuovo giorno di lavoro. Rispetto allo *Here is Hell* non sembrava, *era* un'altra dimensione; ciò nonostante, il passaggio non fu traumatico: percorrere quella scala a chiocciola immersa nelle tenebre era stato una

sorta di graduale risveglio, e io e Arturo ci ritrovammo nella normale realtà, con il dubbio di avere
soltanto sognato. Avevamo davvero trascorso quella
notte a bere champagne al bancone di *Shining*, in
compagnia di una prostituta? Se il mio conto in ban-
ca non avesse registrato un'uscita pari a quanto avevo speso in champagne, non avrei mai creduto di
aver vissuto quello che avevo vissuto al di fuori
di un'allucinazione alcolica.

Terminai così il mio racconto. Tommaso continuava a fissarmi con la stessa strenua, quasi ango-
sciata attenzione con la quale mi aveva fissato durante tutta la mia narrazione. Hai detto che si chiamava Nina? mi domandò. Sì, risposi, sempre che si trattasse del suo vero nome. Me la puoi descrivere di
nuovo? chiese ancora. Gliela descrissi di nuovo, il
più minuziosamente che potei. Tommaso rimase a
lungo in silenzio, tamburellandosi le labbra con gli
indici giunti. Credo di aver conosciuto quella donna, disse infine; circa vent'anni fa, e sempre allo *Here
is Hell*. Ci capitai per caso, come te e Arturo, e mi
successe esattamente quello che è successo a voi:
emerse dal nulla un vecchio in livrea, mi invitò a
seguirlo con quel linguaggio affettato e mi condus-
se nel bar. E Nina era al bancone, uno dei pochi
avventori.

Com'era Nina allora? domandai a Tommaso. Come me l'hai descritta, rispose senza esitare; più giovane, certo, forse un po' meno affascinante, ma entusiasta e curiosa come se non volesse sprecare un
istante della sua esistenza. Tommaso scosse la testa.

Il portiere era più giovane, proseguì, Nina era più giovane, il barman e il cameriere erano più giovani. Eppure, nonostante fosse vent'anni fa, niente e nessuno era sostanzialmente diverso. L'arredamento del locale, il numero di persone che ci lavoravano, ogni circostanza è pressoché identica. Nina al bancone del bar, mi disse ancora Tommaso, lo champagne che bevvi con lei, perfino le nostre chiacchiere, scommetto, se adesso io e te provassimo a raffrontare i discorsi che abbiamo intrattenuto con lei. Come se il tempo, in quel locale, non fosse consistito in altro che in una ragnatela di polvere e rughe. Un processo di erosione, più che di trasformazione; strano, vero?

Lui rigirò il bollitore tra le mani, se lo portò alle labbra. Strano, vero? ripeté guardandola, poi inghiottì d'un fiato il gin che avanzava. Quando ebbe deglutito per l'ultima volta, strinse gli occhi e scosse la testa con un brivido, ascoltando il gin che gli bruciava le cellule. Dio, mormorò poi. Si alzò. Meglio andare a letto, disse. Sì, meglio, convenne lei, e si alzò a sua volta.

Attraversarono in silenzio il soggiorno, lei si fermò al letto di fortuna organizzato sul divano. Buonanotte, gli disse faticosamente. Buonanotte, disse lui, e scomparve in camera da letto.

Lei si sedette sul divano. Non si sdraiò. Nina, la freccia rossa dello *Here is Hell*. Le coincidenze che forse non erano tali, il perdono di Giorgio, le occasioni sfumate. Si alzò.

Non appena fu sulla porta della camera da letto,

si scontrò con lui che ne usciva. Si guardarono sorpresi, risero. Poi lui allargò le braccia, e lei gli si rannicchiò addosso. Dalla cucina, e dalla casa, e dalla città, la notte si ritirava schiarendo.

Informazioni e ringraziamenti

Questa pagina ha il doppio scopo di informare e ringraziare.

Le informazioni, credo, sono doverose nei confronti dei lettori. I ringraziamenti nei confronti di chi, più o meno direttamente e consciamente, mi ha aiutata a scrivere.

Partiamo dalle informazioni.

Su nove racconti, otto sono inediti. L'unico già pubblicato, in Germania sulla rivista «Horizonte», è *La notte della perla*, che è anche il più vecchio di tutti: devo averlo scritto nel 1997-98. Non sono molto precisa, riguardo a quello che scrivo e a *quando* lo scrivo. Quanto agli altri, *Cronaca di una storia qualunque* è nato anche lui parecchio tempo fa, nel 1997-98; in ordine cronologico, sono seguiti *Qui è l'inferno* e *Le formiche scappavano cieche*, scritti fra l'inverno del 2000 e la primavera del 2001. Poi è toccato a *Tre armi*, che ho iniziato a scrivere nel dicembre 2001 e finito qualche tempo dopo, mentre ho scritto la *Trilogia delle fiabe non raccontate* tra il settembre e il dicembre 2002. Infine, *Fiore di lago* è stato scritto tra il novembre e il dicembre 2003 ed è liberamente ispirato a un fatto di cronaca: date, nomi, eventi e motivazioni sono comunque del tutto inventati. Rimaneggiamenti e riscritture sono avvenuti in tutto il corso del 2003.

Veniamo ai ringraziamenti, indispensabili perché, senza coloro che sto per nominare, questo libro non esisterebbe. In ordine di influenza sui racconti:

Marian, ispiratore di sei storie su nove, di tutto ciò che scrivo e di molto altro. Bambi Bianchi Lazzati e i ragazzi del seminario di scrittura creativa tenutosi a Varese nel settembre 2003 all'interno del Premio Chiara Giovani: *Fiore di lago* è nàto con loro. Alex, radice delle rimanenti due storie. Cristina, amica, consigliera, editor e alter ego letterario. Monique, amica e consigliera anche lei. Andrea, amico scrittore nonché editor feroce. Gli altri amici scrittori: Alessandro, Enrico, Gianni e Augusto che non c'è più. La mia agente Rita. La mia famiglia: i miei genitori, mia cugina Ilaria, i miei zii. Tutti i cani della mia vita e soprattutto la Ciuci, che non c'è più e piangerò per sempre, e Rosalina, che ha passato sulle mie cosce la scrittura della *Trilogia delle fiabe non raccontate* e la revisione. Le amiche di sempre: Dina, Elena, Alessandra, Veronica. Emanuele. Gabriele Ferraris. Il Comitato Amiche per la Danza. Ilaria "avvocata" e Ilaria "notaia", Eleni, l'Omonima, Cécile, Umberto e Marco, Laura, Gianni, Felipe. Gli amici delle palestre che ho frequentato e frequento, Signori Maestri e Signore Maestre in testa. Gli amici all'estero, a partire da Ilwa, Uwe, Joachim e Willy. E molti altri, amici conoscenti o estranei: chiunque mi renda la vita interessante o mi offra occasioni e spunti per raccontare. Grazie.

Indice

Stampato da
Grafica Veneta S.p.A., Trebaseleghe (PD)
per conto di Marsilio Editori® in Venezia

EDIZIONE   ANNO

10 9 8 7 6 5 4 3 2 1   2006 2007 2008 2009 2010

Alessandra Montrucchio
Non riattaccare
pp. 128

PREMIO SELEZIONE BANCARELLA 2006

«Un bellissimo romanzo lungo una telefonata, tra colpi di scena,
suspense e un ritmo da cardiopalma»
Monica Perosino SPECCHIO

Immagina di non dormire in una notte afosa. Immagina di amare
ancora chi ti ha lasciato.
Immagina che sia proprio il tuo amore a telefonarti, finalmente, dopo
due mesi. Ma non telefona per chiedere perdono. Telefona per dire
addio, a te e alla vita.
E allora immagina che la tua voce sia un appiglio lungo il precipizio di
questo addio.
Resisterai alla spossatezza? Nelle fauci di un tunnel, il segnale cadrà e
perderai il tuo amore oppure no? Riuscirai a raggiungerlo in tempo?

Alessandra Montrucchio
Non riattaccare

romanzo Marsilio

Alessandra Montrucchio
Cardiofitness
pp. 264

«*L'amore tra una giovane donna e un adolescente è peccato? Non certo in questa storia...*» Marisa Rusconi

Si è ragazzi o si è adulti, a ventisei anni? Forse bisognerebbe essere entrambi; così la pensano le *Charlie's Angels*: quattro amiche ciniche e ironiche, disperate ma non serie, impegnate in una guerriglia allegra con il mondo.
È in palestra che Stefania incrocia Stefano: Stefano che ha la nuca sottile e delicata, Stefano che profuma di legno di sandalo, Stefano che ha quindici anni. Tenero come mai potrebbe esserlo un coetaneo in carriera, timido e impacciato ma leale e sincero da non potergli resistere. Ma poi, perché resistere? Una storia tra un quindicenne e una ventiseienne non è ridicola, non è neanche un caso di "pedofilia". E dimostra, con ritmo e gioiosità, che si può vivere un amore impudente (e imprudente) senza perdere la purezza.

Da questo romanzo prossimamente nelle sale un film diretto da Fabio Tagliavia, con Nicoletta Romanoff e Federico Costantini

Alessandra Montrucchio
Cardiofitness

Quando
una donna
s'innamora
di un adolescente

tascabili Marsilio | Narrativa